Luciano Subirá

Até que nada mais importe

{ COMO VIVER LONGE DE UM MUNDO DE PERFORMANCES RELIGIOSAS E MAIS PRÓXIMO DO QUE DEUS ESPERA DE VOCÊ. }

UNITED PRESS
um selo editorial hagnos

© 2018 por Luciano Pereira Subirá

1ª edição: maio de 2018
22ª reimpressão: abril de 2025

Revisão: Josemar de S. Pinto e Raquel Fleischner
Diagramação: Felipe Marques
Capa: Rafael Brum
Editor: Aldo Menezes
Coordenador de produção: Mauro Terrengui
Impressão e acabamento: Imprensa da Fé

As opiniões, as interpretações e os conceitos desta obra são de responsabilidade de quem a escreveu e não refletem necessariamente o ponto de vista da Hagnos.

Todos os direitos desta edição reservados à
Editora Hagnos Ltda.
Rua Geraldo Flausino Gomes, 42, conj. 41
CEP 04575-060 — São Paulo, SP
Tel.: (11) 5990-3308

E-mail: editorial@hagnos.com.br | Home page: www.hagnos.com.br

Editora associada à Associação Brasileira de Direitos Reprográficos (ABDR)

Dados Internacionais de Catalogação na Publicação (CIP)

Subirá, Luciano Pereira

Até que nada mais importe: como viver longe de um mundo de *performances* religiosas e mais próximo do que Deus espera de você / Luciano Pereira Subirá. — São Paulo: Hagnos, 2018.

ISBN 978-85-243-0551-1

1. Busca de Deus 2. Bíblia: meditações 3. Espírito Santo 4. Reino de Deus
5. Temor de Deus 6. Pensamento religioso I. Título.

18-0443   CDD 2428:2

Índices para catálogo sistemático:
1. Busca de Deus 248:2

Angélica Ilacqua CRB-8/7057

Sumário

Dedicatória 5

Introdução 7

1 Até que nada mais importe 9
2 Embriagados com o quê? 19
3 Um Deus exigente? 31
4 A reciprocidade de Deus 43
5 Amado e agradável 51
6 Fascinados por Deus 61
7 Descobrindo os tesouros de Cristo 77
8 Manancial ou cisterna? 89
9 Voltando à fonte 97
10 Vivendo de aparência 111
11 Vidas preciosas demais 125
12 Reacendendo a paixão 139

Bibliografia 153

Dedicatória

A Kelly, minha amada esposa,
companheira de todas as horas,
parceira em todos os projetos,
cúmplice da mesma paixão pelo Senhor Jesus
e minha maior incentivadora.
Ter você ao meu lado fez minha vida muito melhor.
Amo você e sou imensamente grato por tudo.

Introdução

> *O cristianismo, se é falso, não tem nenhuma importância, e, se é verdade, tem infinita importância. O que ele não pode ser é de moderada importância.*
> — C. S. Lewis

Tenho aprendido muito com o Senhor, por mais de duas décadas, acerca da importância de amá-lo e por que esse é chamado, nas Escrituras, de o maior mandamento. Como resultado desse entendimento, escrevi o livro *De todo o coração: vivendo a plenitude do amor ao Senhor*. Porém, nos últimos anos, comecei também a entender algo mais acerca da busca apaixonada pelo Senhor e a maneira correta de fazer isso, o que me levou a começar a pregar, desde fevereiro de 2008, a mensagem "Até que nada mais importe", que agora apresento como livro, com um conjunto bem mais abrangente de ensinos bíblicos do que a pregação em si.

Preciso ressaltar também que fiquei muito impressionado, durante o mês de julho de 2011, com as mensagens que ouvi do irmão Dwayne Roberts, bem como com seu livro *Uma coisa* (já traduzido e publicado em português).[1] A similaridade entre o que tenho pregado nos últimos anos e o que passei a ouvir dele a partir de então é enorme!

Tive o privilégio de, com minha família, passar duas semanas com o Dwayne e sua família, num misto de férias e pregações em várias cidades brasileiras, e, com certeza, posso dizer que tanto ele como os demais irmãos que servem lá em Kansas City, nos Estados Unidos, no IHOP (*International*

---

[1] ROBERTS, Dwayne. *Uma coisa*. Curitiba: Orvalho, 2011, 251p.

House of Prayer [Casa Internacional de Oração]), entenderam profundamente esse princípio.

Na época, o Dwayne ainda morava lá em Kansas – hoje ele está à frente do FHOP [*Florianópolis House of Prayer*] – e, através dele, acabei conhecendo o IHOP. Ainda recordo-me de uma conversa que tive com Mike Bickle, o fundador da Casa Internacional de Oração, em 2012. Eu estava participando, com outras lideranças do Brasil, de uma semana intensiva de exposição dos valores e práticas do IHOP-KC e, nessa conversa, o Mike me perguntou o que me fizera ir até Kansas City para conhecer o trabalho deles, se seria o meu interesse no movimento de oração contínua. Respondi que não e acrescentei que, ainda que estivesse sendo muito abençoado com aquele aprendizado, o que me despertara o desejo de conhecê-los foi a forte mensagem de *amor ao Senhor* que eles pregavam. E concluí: "O primeiro mandamento precisa ser resgatado pela igreja moderna". Ele respondeu que pensava o mesmo e que vinham trabalhando arduamente por isso.

Apesar de ter recebido do Senhor e começado a ensinar essas verdades antes de conhecer os irmãos do IHOP, reconheço que, nos últimos anos, também aprendi muito com eles, assim como também percebi que muitas verdades que já carregava dentro de mim foram despertadas com mais intensidade e clareza. Esse alinhamento do ensino sobre paixão por Jesus foi tão forte que cheguei a enviar meu filho, Israel Subirá, durante um tempo, para estudar e frequentar a Casa de Oração em Kansas City. Também tenho promovido a publicação de vários livros deles e penso que eles têm dado, ao Corpo de Cristo, uma colaboração enorme nessa área.

Reconheço, também, que ainda não entrei – como deveria – num lugar profundo de compreensão dessas verdades, a ponto de esgotar o assunto, embora eu reconheça que venho crescendo nisso à medida que os anos vão passando. Espero, de todo o meu coração, amadurecer mais e mais nesse assunto e desejo o mesmo a você, que separou tempo para esta leitura e reflexão!

Luciano Subirá
Orvalho.Com

CAPÍTULO 1

Até que nada mais importe

*Que não se admita no coração outro desejo ou propósito,
cujo objeto supremo não seja ele.*
— John Wesley

O dia 19 de fevereiro de 2008 foi muito significativo no entendimento dessa mensagem que venho proclamando nos últimos anos. Portanto, creio que começar a partir do ocorrido que me levou a entender essa mensagem seja a melhor forma de introduzir o assunto. Aquele foi um dia incomum, diferente e profundamente marcante. Tudo começou pela manhã, com um texto bíblico que, em meu momento devocional matinal, saltou diante de meus olhos e martelou em minha cabeça o dia todo, terminando com uma forte confrontação de Deus em uma reunião à noite, quando então – e somente então – aquele texto bíblico fez, de fato, sentido.

Contudo, antes de falar dessa reunião, preciso voltar no tempo um pouco mais de um mês e meio. Eu comecei o ano de 2008 determinado a buscar o Senhor como nunca havia feito. Passei os primeiros vinte e um dias do ano em jejum, ingerindo somente água. Até então eu nunca havia feito esse tipo de jejum por mais de catorze dias. Entretanto, eu realmente estava disposto a ir além de qualquer limite e fazer coisas para Deus que nunca fizera. Estava em um propósito de ler a Bíblia muitas vezes naquele ano e de intensificar minha vida de oração. Portanto, se qualquer pessoa me questionasse acerca de como estava buscando o Senhor, eu provavelmente teria me avaliado muito bem.

Era uma terça-feira à noite, dia de treinamento de líderes na Comunidade Alcance, a igreja que pastoreio em Curitiba, no estado do Paraná. Não considerávamos essa reunião como um culto; apenas orávamos um pouco pela igreja antes de ministrar uma palavra prática de treinamento ministerial ou alinhamento da visão que norteia nosso trabalho. Contudo, por alguma razão que não me lembro, iniciamos a reunião daquela noite cantando uma conhecida canção do Marcos Witt: "Eu te busco... te anelo... te necessito..." E, à medida que cantávamos, a unção do Espírito Santo veio sobre nós de forma singular; num mesmo instante, os irmãos começaram a se ajoelhar, sentar e até mesmo prostrar-se ao chão por todo o salão. Poderia ser interpretado como algo previamente combinado, como se alguma diretriz nesse sentido tivesse sido dada, pois a maioria fez isso praticamente ao mesmo tempo. Lembro-me que caiu um grande temor do Senhor sobre nós e que me vi, em lágrimas, em um profundo senso de arrependimento por não estar buscando a Deus como deveria... e foi exatamente nesse ponto que tudo pareceu tão contraditório para mim.

Lembre-se que eu havia acabado de fazer o *maior* jejum da minha vida. Eu estava orando e lendo a Bíblia com muita determinação. Eu praticamente estava "quebrando todos os meus recordes" em relação a buscar a Deus! Por conta disso, quando percebi em que direção o Espírito Santo estava me levando naquele momento de arrependimento em que muitos choravam bem alto, resisti e lutei contra aquilo. Não me alegro em contar isso. Pelo contrário, sinto-me profundamente envergonhado cada vez que tenho de falar sobre o assunto. Mas a verdade é que eu me deixei levar pela minha carnalidade em vez de me permitir entrar num quebrantamento profundo. Não verbalizei isso em momento algum, mas meus pensamentos – tomado por um grande sentimento de indignação – pareciam gritar para Deus: "Se nada do que fiz até agora em todo este tempo de devoção e consagração foi bom, quando é que será bom o suficiente para ti? Quando chegarei ao ponto de realmente te agradar? O que esperas de mim? Qual é a intensidade com que devo te buscar? Até onde devo chegar?"

Por alguns instantes devo ter esquecido com quem estava falando e sou grato pela bondade, compaixão e misericórdia com que o Senhor me tratou. Hoje penso que, se eu estivesse no lugar de Deus, teria imediatamente esmagado o "inseto" que protestasse contra mim dessa forma! O curioso é que em nenhum momento senti ter insultado o Senhor; a maneira tão doce e amorosa como o Espírito Santo falou comigo naquela noite foi inesquecível. A primeira frase que ouvi como resposta à minha indagação tornou-se o título deste capítulo e também deste livro: "Até que nada mais importe".

Recordo-me de ter sido envolvido num amor tão intenso que faltam-me palavras para explicar. A voz doce do Espírito Santo parecia sussurrar em meu íntimo: "Eu não estou acusando você de nada. Eu o amo de uma forma que você não consegue entender. Eu desejo comunhão e intimidade contigo numa dimensão que vai além da sua compreensão; mas seu conceito de busca está equivocado e mantendo-o distante de mim. Não estou interessado em sua *performance* de busca; o que realmente quero é o seu coração. Quero que você me deseje a ponto de todas as outras coisas perderem sua importância e tornarem-se desinteressantes".

Nesse momento, uma porção da Escritura brilhou dentro de mim:

> Mas o que, para mim, era lucro, isto considerei perda por causa de Cristo. Sim, deveras considero tudo como perda, por causa da sublimidade do conhecimento de Cristo Jesus, meu Senhor; por amor do qual perdi todas as coisas e as considero como refugo, para ganhar a Cristo (Filipenses 3:7,8).

O apóstolo Paulo declara que *tudo* – isso mesmo, T-U-D-O perdeu seu valor e importância diante da sublimidade, da magnificência do Senhor Jesus, aquele que precisamos conhecer cada vez mais profundamente.

Uau! Aquilo veio como uma bomba em meu coração! Nessa ocasião eu tinha 35 anos de idade (sendo todos eles vividos na obediência da fé, dentro da igreja), vinte anos de vida no Espírito e dezessete anos de ministério. Mas reconheço que, em todo esse tempo, nunca cheguei a realmente entender aquilo que o apóstolo Paulo estava dizendo. Não considero esse tempo perdido, nem meu relacionamento com Deus nesses anos como algo nulo, mas a verdade é que, até então, eu baseara meu conceito de busca na *performance*, na produtividade. Eu valorizava quantas horas haviam sido gastas na oração; quantos capítulos da Bíblia eu havia lido; quantos dias de jejum havia feito... sem contar que sempre que possível deveria "quebrar o recorde" anterior. Mas nesse dia meus olhos se abriram e comecei a perceber uma outra maneira de como devemos buscar o Senhor e nos relacionar com ele.

Os textos bíblicos e suas aplicações práticas foram "sussurrados" pelo Espírito Santo em meu coração naquele dia. Fui confrontado, corrigido e, ao mesmo tempo, desafiado pelo Senhor! O que compartilho a seguir é fruto dessa experiência. Creio que foi mais do que uma experiência pessoal. Penso que o ocorrido nesse dia me permite, à semelhança dos profetas, dizer: "veio a mim a palavra do Senhor". Acredito que essa mensagem é mais do que o ensino de princípios bíblicos; ela é uma palavra profética para nossa geração!

Por isso, convido-o, à medida que você lê este livro, a separar tempo para oração e reflexão e a abrir-se à ação do Espírito Santo.

O PADRÃO DE BUSCA DETERMINADO POR DEUS

Muitas pessoas (e estou falando daqueles que de fato se converteram e conhecem o Senhor) vivem sem nenhum senso de propósito. Acordam, alimentam-se e trabalham por mais alimento, alguns estudam (menos ou mais do que precisam), relacionam-se com outros (embora alguns façam só o estritamente necessário) e voltam a dormir. Na verdade, eles apenas sobrevivem. Vivem tão presos àquilo que é terreno! Jesus declarou: *A vida do homem não consiste na abundância dos bens que ele possui* (Lucas 12:15). Se isso é verdade – e sabemos que é – por que a vida de tantos cristãos reflete exatamente o contrário? Por que a maioria investe tanto da sua vida em busca do que é material e tão pouco em busca do que é espiritual?

Se tivéssemos um pouquinho mais de senso de propósito, nos questionaríamos acerca daquilo que é mais importante. Para que existimos? Para que fomos criados? Quando entendemos o propósito de Deus para nossa vida, podemos focar nossa energia e dedicação no que é realmente importante e prioritário.

O ser humano foi criado e estabelecido por Deus na terra com um único e distinto propósito: *buscar a Deus*. A Bíblia é muito clara acerca disso:

> *De um só fez toda a raça humana para habitar sobre toda a face da terra, havendo fixado os tempos previamente estabelecidos e os limites da sua habitação;* PARA BUSCAREM A DEUS *se, porventura, tateando, o possam achar, bem que não está longe de cada um de nós* (Atos 17:26,27 – grifo do autor).

Desde os meus 15 anos de idade, quando fui batizado no Espírito Santo, decidi viver focado no que é eterno; descobri, ainda adolescente, que a maioria dos cristãos estava mais focada no que é terreno (na verdade, o certo seria dizer que essa turma estava totalmente *desfocada*) do que no que é celestial.

O apóstolo Paulo instruiu os irmãos colossenses acerca do que realmente importa – as coisas de cima, e não as que são da terra:

> *... se fostes ressuscitados juntamente com Cristo, buscai as coisas que são de cima, onde Cristo está assentado à destra de Deus. Pensai nas coisas que são de*

cima, e não nas que são da terra; porque morrestes, e a vossa vida está escondida com Cristo em Deus (Colossenses 3:1-3).

Apesar dessa ordem tão explícita sobre o foco correto do cristão, o que encontramos, na prática, é algo bem diferente. Buscar a Deus, na concepção de muitos crentes, é, na melhor das hipóteses, cumprir suas obrigações de ir aos cultos semanalmente (e especialmente evitar faltar na celebração mensal da Santa Ceia), conhecer o mínimo do que a Bíblia ensina, orar um pouco todo dia (pelo menos para agradecer a comida e, talvez, antes de dormir). É lógico que, se estiver em apuros e diante de grandes tribulações, esse cristão pode aumentar consideravelmente suas orações e, em casos extremos, até mesmo jejuar! O que atualmente chamamos de "busca" (e sei que estou generalizando – há exceções), pode ser classificado como uma coisa medíocre, interesseira e nada intensa.

É evidente a razão pela qual nossa paixão pelo Senhor tem se mostrado tão pobre. Li, em algum lugar, uma afirmação atribuída a William Inge que ilustra bem essa questão: "Se gastarmos dezesseis horas por dia em contato com coisas desta vida e apenas cinco minutos por dia em contato com Deus, será de admirar que as coisas desta vida sejam para nós duzentas vezes mais reais do que Deus?"

Nossa busca por Deus ainda é muito, muito fraca. É necessário compreender não apenas que fomos criados para buscar o Senhor, mas também como deve ser essa busca. Ao falar acerca dessa busca, as Escrituras Sagradas nos revelam que ela não pode acontecer de qualquer forma. Há um padrão de busca que Deus determinou para nós. Esse padrão é alcançado quando ele se torna mais importante do que qualquer outra coisa!

Devemos chegar a um ponto tal nesse anseio por Deus, que nada mais importe. O Senhor, através do profeta Jeremias, revelou qual é o tipo de busca que nos levará a encontrá-lo: *Buscar-me-eis e me achareis quando me buscardes de todo o vosso coração* (Jeremias 29:13).

Logo, o interesse de Deus não está apenas no fato de o buscarmos, mas em *como* fazemos isso. Ele não aceita nada menos que nossa inteira dedicação e paixão nessa busca. Essa é a razão pela qual o Senhor não está interessado na busca em si, mas no motivo que nos leva a buscá-lo.

Observe também que, ao falar sobre buscar a Deus, o profeta Jeremias usou a expressão *de todo coração*. Ela foi usada na Bíblia tanto para falar da intensidade de nossa busca ao Senhor como para determinar a intensidade de nosso amor para com Deus: *Amarás, pois, o Senhor, teu Deus, de todo o teu coração, de toda a tua alma, de todo o teu entendimento e de toda a tua força* (Marcos 12:30).

O que Deus espera de nós é nada menos do que *amor total*. O maior mandamento determina que não só o amemos, mas que façamos isso com *toda a intensidade* possível! E o mesmo é verdadeiro em relação à nossa busca: *de todo o coração*. Essa é a única forma de busca aceitável: com todo o nosso ser, com tudo o que há em nós (coração, alma e entendimento), com toda a nossa força (dedicação, empenho, determinação, energia e entrega).

Há uma declaração de C. S. Lewis que merece ser destacada aqui: "O cristianismo, se é falso, não tem nenhuma importância, e, se é verdadeiro, tem infinita importância. O que ele *não pode ser* é de *moderada* importância". Contudo, me assusta constatar que a maioria dos cristãos parece estar vivendo como se a vida cristã fosse de moderada importância!

Somos parte de uma geração que o Senhor declarou não ser fria nem quente. Infelizmente, estamos exatamente nesse ponto, de atribuir ao relacionamento com Deus uma baixa ou moderada importância. A ausência não só da atitude da busca apaixonada como também da falta de ensino sobre o assunto é evidente por toda parte.

No livro *A vida crucificada: como viver uma experiência cristã mais profunda*, encontramos um desabafo de A. W. Tozer:

> A nossa fraqueza é que não prosseguimos para conhecer Cristo em intimidade e familiaridade enriquecidas; e, pior, nem estamos falando sobre fazer isso. Raramente ouvimos a seu respeito, e esse tema não entra nas nossas revistas, nos nossos livros ou em qualquer tipo de ministério midiático, e também não se encontra nas nossas igrejas. Estou falando desse anseio, desse desejo ardente de conhecer Deus em medida crescente. Esse anseio deveria empurrar-nos adiante, em direção à perfeição espiritual.[2]

O problema de muitos de nós é que ainda que aleguemos estar buscando a Deus, estamos fazendo isso com pouca intensidade. E a razão da falta de empenho nessa busca não é o fato de que não queremos Deus, senão nem mesmo buscando-o estaríamos. Penso que um dos nossos piores inimigos depois do pecado sejam as distrações.

---

[2] TOZER., A. W. *A vida crucificada: como viver uma experiência cristã mais profunda*, Introdução ao capítulo 2. São Paulo: Editora Vida, 2013.

Distrações

Diferentemente do cristão que está travando uma acirrada luta contra o pecado, o crente que costuma ser enredado pelas *distrações* é, em geral, alguém que não necessariamente tem cedido ao pecado, mas perde o alvo ao distrair-se com coisas que talvez sejam até mesmo lícitas, mas roubam-lhe o foco de buscar intensamente o Senhor.

A Bíblia diz que, quando Moisés foi ao Egito com uma mensagem de libertação, o faraó aumentou o trabalho do povo para que este se esquecesse da adoração a Deus:

> *Disse também Faraó: O povo da terra já é muito, e vós o distraís das suas tarefas. Naquele mesmo dia, pois, deu ordem Faraó aos superintendentes do povo e aos seus capatazes, dizendo: Daqui em diante não torneis a dar palha ao povo, para fazer tijolos, como antes; eles mesmos que vão e ajuntem para si a palha. E exigireis deles a mesma conta de tijolos que antes faziam; nada diminuireis dela; estão ociosos e, por isso, clamam: Vamos e sacrifiquemos ao nosso Deus. Agrave-se o serviço sobre esses homens, para que nele se apliquem e não deem ouvidos a palavras mentirosas* (Êxodo 5:5-9).

Esse quadro, no meu entendimento, é uma ilustração da estratégia que Satanás tenta aplicar ainda hoje contra os cristãos. Aliás, na tipologia bíblica, o faraó é uma figura do diabo, o nosso antigo tirano e opressor, de quem Deus nos libertou (Colossenses 1:13). Hoje em dia, há muitas pessoas que se envolvem tanto em seus trabalhos e negócios que não conseguem ter tempo sequer de se lembrar de buscar a Deus, que dirá da busca propriamente dita.

Na antiga aliança, Deus exigia um dia semanal de descanso, no qual as pessoas não somente paravam de trabalhar, mas também usavam esse tempo para buscar e adorar o Senhor. Hoje, apesar de vivermos em uma melhor aliança baseada em melhores promessas (Hebreus 8:6), estamos vivendo aquém até mesmo do tempo mínimo de relacionamento com Deus que era esperado na antiga aliança. Infelizmente, essa distração tem se tornado um fator de esfriamento para muitos cristãos sinceros, que nem mesmo cederam às pressões do mundo ou do pecado. Eles venceram nessas áreas, mas sucumbiram diante das distrações.

Na parábola da grande ceia, Jesus tratou acerca disso:

> *Ele, porém, respondeu: Certo homem deu uma grande ceia e convidou muitos. À hora da ceia, enviou o seu servo para avisar aos convidados: Vinde, porque tudo já está preparado. Não obstante, todos, à uma, começaram a escusar-se. Disse o primeiro: Comprei um campo e preciso ir vê-lo; rogo-te que me tenhas por escusado.*

Outro disse: Comprei cinco juntas de bois e vou experimentá-las; rogo-te que me tenhas por escusado. E outro disse: Casei-me e, por isso, não posso ir. Voltando o servo, tudo contou ao seu senhor. Então, irado, o dono da casa disse ao seu servo: Sai depressa para as ruas e becos da cidade e traze para aqui os pobres, os aleijados, os cegos e os coxos. Depois, lhe disse o servo: Senhor, feito está como mandaste, e ainda há lugar. Respondeu-lhe o senhor: Sai pelos caminhos e atalhos e obriga a todos a entrar, para que fique cheia a minha casa. Porque vos declaro que nenhum daqueles homens que foram convidados provará a minha ceia (Lucas 14:16-24).

Muitos perdem a consciência do convite de Deus por causa das distrações geradas por coisas que são legítimas, verdadeiros exemplos de bênçãos (ou até mesmo orações respondidas), como a aquisição de propriedades, a melhoria da capacidade de produção, ou até mesmo a constituição de uma família! Estas foram as três desculpas dadas nessa parábola contada pelo Senhor Jesus.

Recordo-me do dia em que cheguei em casa com um presente para o meu filho. O Israel, na época com 8 ou 9 anos de idade, estava muito desejoso de um novo *vídeo game*. Eu me senti um paizão quando ele abriu a caixa e comemorou tanto a chegada do novo brinquedo! Ele me abraçou e agradeceu muito. Muito mesmo. Como é boa a sensação de agradarmos nossos filhos a quem tanto amamos!

Porém, algo passou a acontecer a partir desse dia. Normalmente, quando eu chegava de viagem (o que tenho feito bastante nos últimos anos), meus filhos estavam na sala, só esperando pela minha chegada para celebrar a volta do pai a casa; contudo, depois da chegada do "bendito" *video game*, meu filho Israel já não costumava estar à minha espera quando eu retornava. Ao entrar em casa, apenas minha filha Lissa corria para me abraçar e beijar. Depois de fazermos nossa festa de reencontro, eu perguntava em voz alta: "Cadê o Israel?" E passou a ser comum ouvi-lo gritar de volta: "Já vai, pai! Só vou passar de fase no jogo e já corro até aí!"

Meu aborrecimento foi crescendo a ponto de um dia ter, literalmente, vontade de jogar aquele *video game* pela janela! Não duvidava do amor do meu filho por nem um instante sequer. Mas percebi que aquele jogo realmente o estava distraindo do que deveria ser nosso momento precioso de comunhão.

Penso que temos feito exatamente a mesma coisa em nosso relacionamento com Deus. Oramos e pedimos a ele algumas coisas que desejamos tanto. E o Pai celeste, em sua infinita bondade, nos atende e nos concede "os nossos brinquedos" (as bênçãos buscadas). Então aquelas coisas boas, lícitas, que não têm nada de errado em si mesmas, começam a nos distrair do Senhor...

Você já viu algo parecido com isso em sua vida?

Fiquei profundamente chocado ao descobrir isso em minha própria vida!

A Bíblia nos mostra que até mesmo o casamento, uma instituição divina (e, portanto, uma bênção), pode se tornar uma *distração*, algo que pode atrapalhar a nossa dedicação ao Senhor. Paulo falou disso quando escreveu aos coríntios:

> *O que realmente eu quero é que estejais* LIVRES DE PREOCUPAÇÕES. *Quem não é casado cuida das coisas do Senhor, de como agradar ao Senhor; mas o que se casou cuida das coisas do mundo, de como agradar à esposa, e assim está dividido. Também a mulher, tanto a viúva como a virgem, cuida das coisas do Senhor, para ser santa, assim no corpo como no espírito; a que se casou, porém, se preocupa com as coisas do mundo, de como agradar ao marido. Digo isto em favor dos vossos próprios interesses; não que eu pretenda enredar-vos, mas somente para o que é decoroso e vos facilite o* CONSAGRAR-VOS - DESIMPEDIDAMENTE - AO SENHOR (1Coríntios 7:32-35 – grifo do autor).

É impressionante como coisas boas, de valor não só aos nossos olhos, mas até mesmo aos olhos de Deus, podem tornar-se um motivo de distração para a nossa comunhão com o Senhor. Isso é tão sério e, ao mesmo tempo, passa tão despercebido. Até mesmo o nosso próprio serviço prestado ao Senhor pode se tornar uma distração! Os irmãos da igreja de Éfeso perderam o seu primeiro amor (Apocalipse 2:4), ainda que não tivessem parado de trabalhar para Deus (Apocalipse 2:2,3)!

Encontramos também uma clara advertência do Senhor Jesus no relato bíblico da visita de Cristo à casa de Marta e Maria. Enquanto Maria estava aos pés de Jesus, Marta se queixava pelo fato de haver ficado sozinha na cozinha, servindo. Não creio que Marta estivesse trabalhando somente para manter a casa em ordem. Penso que ela tinha uma boa motivação. Seguramente, pelo respeito para com Jesus (o que era de esperar), ela queria ser uma boa anfitriã, queria receber e servir bem ao Senhor!

No entanto, até mesmo os bons motivos podem se tornar *distrações*, por isso Jesus disse o seguinte a Marta: *Respondeu-lhe o Senhor: Marta! Marta! Andas inquieta e te preocupas com muitas coisas. Entretanto, pouco é necessário ou mesmo* UMA SÓ COISA; *Maria, pois, escolheu a boa parte, e esta não lhe será tirada* (Lucas 10:41,42).

Uma só coisa é necessária! Nada, absolutamente nada, é mais importante do que a nossa concentração em buscar a Deus sem *distração* alguma! Alguns anos depois de ter recebido de Deus essa advertência, conheci uma música da Misty Edwards, lá do IHOP de Kansas City, que diz: "dá-me olhos de pomba"; e, nessa canção, ela pede ao Senhor por uma "devoção sem distração, só para ti". Curioso, fui pesquisar sobre os olhos da pomba e descobri que essa ave não tem uma visão multifocal; pelo contrário, ela foca uma coisa de cada vez com seus olhos. Esse entendimento me fez concluir que a expressão "olhos de pomba" encontrada no livro de Cantares de Salomão (Cântico dos Cânticos 5:12) fala de não ter olhos para mais nada ou ninguém. Essa é a dimensão de paixão, devoção e busca que devemos ter para com o Senhor! Olhos só para ele, sem distração alguma!

Precisamos vigiar com relação a todas as coisas que podem nos distrair, tirar o nosso foco de termos o Senhor Jesus em primeiro lugar – até mesmo as coisas boas e lícitas que podem ser consideradas como bênçãos em nossa vida!

Cristo nos advertiu de buscar em primeiro lugar o seu reino e a sua justiça e disse que, então, somente então, as demais coisas (comida, vestuário etc.) seriam acrescentadas (cf. Mateus 6:33).

O que Jesus estava nos ensinando era algo que poderíamos expressar assim: "Foquem no mais importante, buscar a Deus e seus interesses, e então o resto vem junto, a reboque". O problema é que invertemos tudo; hoje em dia, as pessoas vão à igreja buscar somente o que é material, embora me pareça que estejam na expectativa de que o reino acompanhe essas bênçãos materiais. Nossa busca principal deveria ser pela presença bendita de nosso Senhor. Mas a própria busca por outras coisas que podemos receber de Deus (e isso não é errado em si mesmo) tem nos distraído da pessoa dele. Isso é tão triste! E, ao mesmo tempo, tão imperceptível para a maioria de nós...

CAPÍTULO 2

Embriagados com o quê?

> *Muita gente passa a vida fazendo coisas boas e legítimas, porém o Senhor não é o primeiro para elas. Ele não é o centro de sua vida. Se ele fosse, não o colocariam de lado. Elas achariam tempo para ficar com ele!*
> — DAVID WILKERSON

Uma palavra do Senhor que me foi dada em relação ao que nos distrai da busca a ele levou-me a perceber a questão da "embriaguez". Como mencionei anteriormente, na manhã daquele abençoado 19 de fevereiro de 2008, quando Deus me marcou profundamente com essa mensagem, eu li um texto bíblico em meu tempo devocional que, misteriosa e estranhamente, chamou *muito* minha atenção. Na verdade, posso dizer que aqueles versículos me pegaram de jeito. Nenhuma outra porção das Escrituras pareceu-me "agarrar-se" em meu espírito como essa. Os versículos eram estes:

> *Ai dos que se levantam pela manhã e seguem a bebedice e continuam até alta noite, até que o vinho os esquenta! Liras e harpas, tamboris e flautas e vinho há nos seus banquetes; porém não consideram os feitos do* SENHOR, *nem olham para as obras das suas mãos* (Isaías 5:11,12).

Durante todo aquele dia, travei uma batalha interior contra esses versículos. Eu pensava: "Nasci e cresci num lar cristão. Fui ensinado desde criança a manter distância das bebidas alcoólicas. Esses versículos sobre bebedice não têm nada a ver comigo!" Porém, naquele momento eu ignorava o fato de que nem toda embriaguez mencionada na Bíblia tem apenas o sentido literal. Jesus mencionou um tipo de embriaguez que diz respeito à vida espiritual: *Tenham cuidado, para não sobrecarregar o coração de vocês de libertinagem,* BEBEDEIRA *e ansiedades da vida, e aquele dia venha sobre vocês inesperadamente* (Lucas 21:34 – grifo do autor).

O texto de Isaías fala de gente que corre o dia todo atrás de entretenimento (festas regadas a bebida, comida e música), mas *não consideram os feitos do* SENHOR, *nem olham para as obras das suas mãos*. Há um tipo de embriaguez que nos faz esquecer de Deus e das suas obras. Penso que essa é uma das principais razões pelas quais devemos cuidar do entretenimento. Não é errado divertir-se; contudo, é muito fácil alguém se envolver de tal forma com o entretenimento que acaba se esquecendo de Deus. Penso ser essa uma das possíveis razões que levou Leonard Ravenhill a afirmar que "o entretenimento é o substituto diabólico da alegria".

Um exemplo disso é o registro bíblico acerca de Noé e sua vinha. Logo depois do dilúvio (quando a terra estava mais regada do que nunca), ele plantou uma vinha. Quando chegou a hora da colheita – que era um tempo de festa e celebração pela bênção dada por Deus –, Noé exagerou na celebração e bebeu vinho demais, a ponto de embriagar-se: *Sendo Noé lavrador, passou a plantar uma vinha. Bebendo do vinho, embriagou-se e se pôs nu dentro de sua tenda* (Gênesis 9:20,21).

Perceba que o vinho ingerido era fruto da bênção de Deus que agora se celebrava (fato óbvio em razão de ter havido uma boa colheita). Já afirmei que o que nos distancia do Senhor e da sua presença não é apenas o pecado, mas também as distrações. Já vimos que elas podem ser coisas lícitas, que poderiam até mesmo ser classificadas como bênção divina, mas que acabam nos afastando de Deus.

Às vezes nos deixamos embriagar com o pecado e, outras vezes, chegamos a ponto de nos embriagar até mesmo com bênçãos divinas.

Clemente, bispo de Roma do primeiro século e um dos chamados pais da igreja, advertiu do perigo de um relacionamento errado com as bênçãos divinas: "Tomem cuidado, amados, para que as múltiplas bênçãos não se tornem nossa condenação, o que pode acontecer se não levarmos uma vida digna dele, se não vivermos em harmonia e se deixarmos de fazer o que é bom e agradável a ele".

TIPOS DE EMBRIAGUEZ

Há diferentes tipos de embriaguez na vida espiritual. Longe de achar que encontrei todos eles, digo que, no mínimo, localizei alguns. E quero falar brevemente sobre eles com o intuito de ajudá-lo a localizar o que pode estar afetando o seu relacionamento com o Senhor. São eles:

1) prazeres carnais;
2) prosperidade financeira;
3) posição;
4) ativismo ministerial;
5) família.

Abaixo, comento brevemente cada uma dessas áreas de embriaguez.

PRAZERES CARNAIS

Quero começar falando daquela forma de embriaguez que, de forma clara e indiscutível, diz respeito ao *pecado*. Trata-se da entrega aos prazeres carnais. Davi pecou contra o Senhor quando, no caso de Bate-Seba, cometeu não somente um adultério, como também um homicídio – o de Urias. Ele se deixou embriagar pelo apelo e tentação da carne ao observar uma mulher casada se banhando. E depois, pelo orgulho de não querer admitir seu erro e queda, deixou a situação ainda mais grave do que no início. Uma embriaguez que trouxe um preço muito caro e doloroso.

O que me chama a atenção é o fato de que o profeta Natã declara que Deus havia concedido ao rei a casa e as mulheres de seu senhor (uma menção ao rei Saul) e acrescenta que, se fosse pouco, ele *teria dado mais*:

> *Então, disse Natã a Davi: Tu és o homem. Assim diz o* SENHOR, *Deus de Israel: Eu te ungi rei sobre Israel e eu te livrei das mãos de Saul; dei-te a casa de teu senhor e as mulheres de teu senhor em teus braços e também te dei a casa de Israel e de Judá; e, se isto fora pouco, eu teria acrescentado tais e tais coisas* (2Samuel 12:8).

Esse versículo deixa claro que o que leva alguém a cair não é mera necessidade ou falta daquilo que estava tentando preencher em sua vida. Davi tinha isso tudo! O homem cai quando se embriaga com os desejos da sua própria carne!

PROSPERIDADE FINANCEIRA

Muitos têm se deixado embriagar pela prosperidade material e financeira. Esse foi o caso do rei Uzias:

> Propôs-se buscar a Deus nos dias de Zacarias, que era sábio nas visões de Deus; nos dias em que buscou ao SENHOR, Deus o fez prosperar. [...] Mas, havendo-se já fortificado, exaltou-se o seu coração para a sua própria ruína, e cometeu transgressões contra o SENHOR, seu Deus, porque entrou no templo do SENHOR para queimar incenso no altar do incenso (2Crônicas 26:5,16).

O próprio Senhor fez Uzias prosperar enquanto este o buscava. Porém, o resultado dessa busca, a prosperidade que Deus lhe deu, acabou sendo aquilo que o embriagou e o levou a pecar contra o Senhor. As conquistas materiais não podem, em si mesmas, ser classificadas como pecado. Porém, sem o devido cuidado, podem nos embriagar e, portanto, nos levar a pecar contra o Senhor.

Tenho observado o comportamento dos cristãos há muito tempo. Estou, neste momento, exercendo o pastorado há 25 anos e, como diz o ditado popular, "já vi muita água passar debaixo da ponte". Conheci e vi de perto muita gente, que foi abençoada pelo Senhor na área financeira, se distanciar daquele que os abençoou. Falo não só de cristãos apáticos, mas também de pessoas que foram incendiadas por Deus e acabaram, depois, se embriagando em sua prosperidade material. Precisamos guardar nosso coração!

POSIÇÃO

Uma outra área que não é pecado em si mesma, mas pode levar-nos a pecar, diz respeito às posições que podemos alcançar. Até mesmo aquelas que dizem respeito ao reino de Deus!

O apóstolo João fala acerca de certo Diótrefes, que, além de não receber João ou seus enviados, ainda expulsava da igreja os que os recebessem. E a razão dessa atitude era uma só: tratava-se de alguém que gostava de *exercer a primazia entre eles*. Só Diótrefes podia brilhar, ninguém mais podia estar "sob os holofotes". Veja o texto bíblico:

> Escrevi alguma coisa à igreja; mas Diótrefes, que GOSTA DE EXERCER A PRIMAZIA entre eles, não nos dá acolhida. Por isso, se eu for aí, far-lhe-ei lembradas as obras que ele pratica, proferindo contra nós palavras maliciosas. E, não satisfeito com estas coisas, nem ele mesmo acolhe os irmãos, como impede os que querem recebê-los e os expulsa da igreja (3João 9,10 – grifo do autor).

Muitos não têm maturidade para assumir determinado lugar de posição, seja na vida secular (numa empresa, num cargo do governo), seja na igreja de Jesus. Essa é a razão pela qual Paulo aconselha a seu discípulo Timóteo que, na hora de separar os presbíteros (os que exercem governo na igreja), ele deveria escolher alguém que não fosse neófito (novo na fé). E o motivo era um só: para que ele não se ensoberbeça: *Não seja neófito, para não suceder que se ensoberbeça e incorra na condenação do diabo* (1Timóteo 3:6).

Ninguém se engane! Podemos nos embriagar com a soberba da interpretação equivocada acerca de uma simples posição onde somos colocados, mesmo dentro da igreja.

O ATIVISMO MINISTERIAL

Uma outra área em que nos deixamos embriagar diz respeito ao ativismo desequilibrado no serviço do Senhor. Entendo como desequilíbrio não a quantidade de trabalho em si, mas aquele nível de dedicação ao serviço que nos impede de desfrutar o tempo de comunhão que devemos ter com o Senhor. Foi o que aconteceu com Marta, irmã de Maria:

> *Ora, quando iam de caminho, entrou Jesus numa aldeia; e certa mulher, por nome Marta, o recebeu em sua casa. Tinha esta uma irmã chamada Maria, a qual, sentando-se aos pés do Senhor, ouvia a sua palavra. Marta, porém, andava preocupada com muito serviço; e aproximando-se, disse: Senhor, não se te dá que minha irmã me tenha deixado a servir sozinha? Dize-lhe, pois, que me ajude. Respondeu-lhe o Senhor: Marta, Marta, estás ansiosa e perturbada com muitas coisas; entretanto poucas são necessárias, ou mesmo uma só; e Maria escolheu a boa parte, a qual não lhe será tirada* (Lucas 10:38-42).

Certamente Marta tinha a melhor das intenções de agradar a Jesus e recebê-lo bem. Sua motivação não seria questionada por ninguém, especialmente numa cultura que valorizava tanto a hospitalidade como a dela. Porém, o Senhor lhe declarou que *uma só coisa* é necessária e que Maria é quem havia feito a escolha correta.

Conheço muitos ministros que, pela correria do próprio ministério, não conseguem ter o tempo devido com Deus. Embriagaram-se com o ativismo de tal maneira que simplesmente não conseguem parar. Eu mesmo, muitas vezes, tenho lutado com isso. Para alguém hiperativo, o momento devocional pode ser visto como perda de tempo. Mas, como declarou Charles Spurgeon, "Às vezes achamos que estamos ocupados demais para orar. Este é um grande engano, porque orar é ganhar tempo". Falarei mais sobre esse assunto em outro capítulo.

A FAMÍLIA

A família é ideia e criação de Deus. Quando o Senhor presenteou Adão com uma esposa, não o fez para substituir o já estabelecido relacionamento do homem com ele. O criador viu que Adão estava só. E solidão, nesse caso, fala de algo emocional, e não espiritual. Lembre-se de que esse fato se deu antes da Queda, ou seja, Adão não havia pecado ainda e tampouco encontrava-se separado de Deus. Portanto, o cabeça da raça humana desfrutava, nessa época, de plena comunhão com o Pai celestial. Mesmo depois de criar Eva, o Senhor ainda visitava o casal na viração do dia. É evidente que a mulher (e o mesmo se aplica à família) não foi dada ao homem para afastá-lo de Deus, mas para, com ele, buscar o Senhor.

Guarde isto: nem mesmo a nossa própria família pode tornar-se um motivo de embriaguez espiritual!

Conheço muita gente que buscou o Senhor por um casamento e, depois de contrair núpcias, esqueceu-se de Deus e de seu propósito. Nossa família deveria estar envolvida em nossa busca ao Senhor. Mas, em casos onde isso não acontece, devemos agir de modo que nada, nem mesmo nossa família, nos impeça de relacionar com o Pai celeste. Assim disse Jesus: *Se alguém vem a mim e não aborrece a seu pai, e mãe, e mulher, e filhos, e irmãos, e irmãs e ainda a sua própria vida, não pode ser meu discípulo* (Lucas 14:26).

EVITANDO A EMBRIAGUEZ

Uma cena trágica e que, talvez, muita gente já viu é a de um bêbado querendo convencer outros a beber com ele. O problema de quase todo bêbado é que, além da sua própria embriaguez, ele se torna o causador da embriaguez de outros. Penso que espiritualmente falando a coisa não é tão diferente. Se eu me embriago, além de perder o melhor de Deus, também acabo atrapalhando os outros.

Foi exatamente isso que aconteceu com Davi e com Marta. Em certo sentido, podemos dizer que o mesmo rei Davi, que se embriagou com os prazeres carnais, planejou embriagar Urias depois. E Marta, além de não estar aos pés do Senhor como sua irmã Maria, ainda queria tirá-la de lá!

Precisamos fugir da embriaguez. Pelo nosso bem e pelo dos outros! Por isso a advertência bíblica de que cada crente em Jesus deve ser *sóbrio*.

> *Portanto, não durmamos como os demais, mas estejamos atentos e sejamos sóbrios; pois os que dormem, dormem de noite, e os que se* EMBRIAGAM, *embriagam-se de noite. Nós, porém, que somos do dia,* SEJAMOS SÓBRIOS, *vestindo a couraça da fé e do amor e o capacete da esperança da salvação* (1Tessalonicenses 5:6-8, NVI – grifo do autor).

A embriaguez espiritual é um estado de dormência, de incapacidade para qualquer tipo de resposta a Deus. A sobriedade é o oposto disso; tem a ver com estar atento, pronto, indicando assim a facilidade de resposta ao Senhor. A palavra traduzida por *sóbrio*, no original grego, é *nepho* e, de acordo com o léxico de Strong, significa "ser sóbrio, estar calmo e sereno de espírito; ser moderado, controlado". Mas, apesar do significado básico e inicial ser o de não se deixar dominar pela embriaguez, a sobriedade vai além disso. É um estado de atenção, de percepção espiritual.

O texto sagrado nos mostra que, além de evitar a embriaguez, há cuidados que devemos ter para garantir a sobriedade. E o apóstolo menciona a importância da fé, do amor e da esperança da salvação. Além desses valores já destacados, quero compartilhar alguns princípios e práticas espirituais que nos auxiliarão a manter a sobriedade. Destaco três práticas que podem guardar nosso coração da embriaguez:

1) encher-se da Palavra;
2) encher-se do Espírito;
3) manter tempo de qualidade com Deus.

ENCHENDO-SE DA PALAVRA

Houve uma época em que não era possível cada um ter seu próprio exemplar das Escrituras, pois as cópias do Livro Sagrado eram feitas manualmente. Durante esse período, Deus ordenou que, pelo menos, o líder da nação tivesse uma cópia da Lei para lê-la todos os dias da sua vida:

> *Também, quando se assentar no trono do seu reino, escreverá para si um traslado desta lei num livro, do que está diante dos levitas sacerdotes. E o terá consigo e nele lerá todos os dias da sua vida, para que aprenda a temer o* SENHOR, *seu Deus, a fim de guardar todas as palavras desta lei e estes estatutos, para os cumprir* (Deuteronômio 17:18,19).

No Novo Testamento, a ordem divina não é apenas para um líder; é para cada cristão: *Habite, ricamente, em vós a palavra de Cristo* (Colossenses 3:16). Devemos nos encher da Palavra de Deus! As Escrituras têm o poder de realizar uma obra sobrenatural em nosso íntimo. O conselho de Deus acerca do rei de Israel ler a sua Lei diariamente tinha um propósito claro: *para que aprenda a temer o SENHOR, seu Deus, a fim de guardar todas as palavras desta lei e estes estatutos, para os cumprir*. O rei não aprenderia apenas a Lei a ser guardada; aprenderia a temer o Deus que deu a Lei que deveria ser guardada!

Uma relação intensa com a Palavra de Deus nos guardará da embriaguez com as coisas deste mundo. O evangelista D. L. Moody, referindo-se à Bíblia, declarou: "Ou este livro me afastará do pecado ou o pecado me afastará deste livro". Aprendi desde bem cedo essa verdade. O primeiro versículo bíblico que minha mãe me fez decorar foi: *Escondi a tua palavra no meu coração, para eu não pecar contra ti* (Salmos 119:11).

Na epístola aos Romanos, Paulo fala acerca de não nos conformarmos com o mundo. Conformar-se com o mundo é mais do que uma mera atitude de tolerância; tem a ver com tomar a forma, amoldar-se, ajustar-se ao padrão e aos valores mundanos. E o remédio que o apóstolo apresenta para não cairmos nessa armadilha é transformarmo-nos mediante a renovação da nossa mente. Precisamos saturar nossa mente com as Escrituras Sagradas! Como está escrito: *a lei do SENHOR é perfeita e restaura a alma* (Salmos 19:7). Há uma obra de restauração em nossa alma (sede da razão, das emoções e da vontade) que se dá por meio da Palavra. Tiago, pelo Espírito Santo, afirmou: *recebei com mansidão a palavra em vós implantada, a qual é poderosa para salvar as vossas almas* (Tiago 1:21). A palavra traduzida por *salvar*, no original grego, é *sozo*, que significa: "curar, libertar, restaurar". É isso mesmo! Quando nos enchemos da Palavra de Deus, nossa alma passa por uma verdadeira "lavagem", por restauração divina, e isso nos impede de andar segundo a embriaguez do mundo.

ENCHENDO-SE DO ESPÍRITO

Uma outra coisa a ser feita para evitar a embriaguez é encher-se do Espírito Santo: *E não vos embriagueis com vinho, no qual há dissolução, mas enchei-vos do Espírito* (Efésios 5:18).

Note que o texto bíblico fala sobre duas coisas distintas: 1) não embriagar-se com vinho; 2) encher-se do Espírito. Não adianta apenas deixar de fazer aquilo que é errado; precisamos ir além disso e ainda fazer o que é certo! Evitar a embriaguez literal (com vinho) e ainda a espiritual (de esquecer- -se do Senhor por conta dos prazeres terrenos) não é suficiente. Precisamos garantir que, mais adiante, nosso coração não seguirá pelo mesmo caminho que agora estamos evitando. Precisamos nos encher do Espírito Santo.

No dia de Pentecostes, quando os discípulos foram, pela primeira vez, cheios do Espírito, algumas pessoas acharam que eles estavam bêbados! Não penso que foi pelo fato de falarem em outras línguas – uma vez que a Bíblia diz que quem os ouvia falando em línguas os entendiam falar na sua própria língua. O que os fez pensar isso? O mero comportamento diferente? Penso que não podemos ter certeza de um assunto que não foi claramente detalhado na Palavra de Deus, embora, por outro lado, haja algumas características da embriaguez natural que têm, no que eu classificaria de *uma forma positiva*, o seu paralelo na dimensão espiritual de quem é cheio do Espírito de Deus. Consideremos algumas delas:

Alegria

A Bíblia faz a associação do vinho com a alegria (Salmos 104:15), e este, por sua vez, é visto como um símbolo do Espírito Santo. O reino de Deus é alegria no Espírito Santo (Romanos 14:17). A alegria é uma das características do fruto do Espírito (Gálatas 5:22). Há uma relação entre estar cheio do Espírito e de alegria: *Os discípulos, porém, transbordavam de alegria e do Espírito Santo* (Atos 13:52). A Bíblia fala sobre o óleo de alegria (Isaías 61:3), uma clara referência à obra do Espírito, e enfatiza isso ainda mais ao dizer que Jesus, foi "ungido" com esse óleo de alegria (Hebreus 1:9).

Ousadia

Muita gente que normalmente é calada e quieta passa a falar mais depois de beber. Normalmente, quem já é falador não passa a falar menos, e quem não fala muito passa a falar. O vinho tem o conhecido poder de "soltar a língua", de trazer coragem para falar. Com o crente cheio do Espírito Santo não é diferente. Ele passa a testemunhar de Jesus e ninguém pode calá-lo (Atos 4:20). Cumpre-se nele o mesmo que se deu com os apóstolos: *todos ficaram cheios do Espírito Santo e, com intrepidez, anunciavam a palavra de Deus* (Atos 4:31).

Desprendimento da avareza

Nunca ouvi falar de um bêbado econômico; pelo contrário, só ouvi falar de como são verdadeiros pródigos. Eles são conhecidos por, ao menos nesse estado, gastarem seu dinheiro e posses. Muitos, ao voltar à sobriedade, não fariam o que fizeram quando embriagados. Algo semelhante se dá com um crente cheio do Espírito! É só olhar como num ambiente de avivamento, no livro de Atos, os crentes passaram a contribuir de forma generosa e desprendida. Quando estamos cheios do Espírito Santo, também nos desprendemos da avareza.

Anestesia

Pessoas bêbadas parecem estar anestesiadas não só dos seus problemas, mas, enquanto nesse estado, também parecem estar anestesiadas fisicamente. Elas quase não sentem frio; caem e não percebem quanto se machucam. Aliás, nos tempos antigos, quando ainda não havia anestesia para muitas intervenções cirúrgicas, o costume era embebedar o paciente. O crente cheio do Espírito também manifesta similar capacidade. O livro de Atos mostra cristãos que, mesmo perseguidos, não se abatiam diante de nada, não mudavam seu humor de acordo com as circunstâncias, da mesma forma que Paulo declarava se portar diante de adversidades (Filipenses 4:11-13). Penso que algo parecido aconteceu com Estêvão; ao ser apedrejado, colocou-se de joelhos para orar pelos que o executavam (Atos 7:59,60). A reação normal de quem é apedrejado seria cobrir o rosto, proteger-se o máximo possível, e não ajoelhar-se para orar! Acredito que Estêvão, cheio do Espírito Santo (Atos 7:55), estava como que anestesiado naquele momento.

Não se lembra das ofensas

Outra coisa que pode ser apresentada nesse paralelo é o fato de que, passada a embriaguez, a pessoa sóbria praticamente não se lembra das ofensas que fez nem das que recebeu quando estava sob o efeito do álcool. Penso que há uma dimensão, em Deus, onde podemos viver acima das ofensas.

Quando nos enchemos do vinho celestial, não há espaço para outro tipo de embriaguez. Portanto, vamos nos encher do Espírito Santo em vez de embriagar-se com qualquer outra coisa!

TEMPO DE QUALIDADE

O relacionamento com Deus envolve intimidade. A Bíblia diz que *a intimidade do SENHOR é para aqueles que o temem* (Salmos 25:14). Há momentos, em nossa vida espiritual, de oração e adoração pública, congregacional, mas também há uma relação íntima, a sós, que devemos manter com o Senhor num ambiente que Jesus denominou de "lugar secreto": *Tu, porém, quando orares, entra no teu quarto e, fechada a porta, orarás a teu Pai, que está em secreto; e teu Pai, que vê em secreto, te recompensará* (Mateus 6:6).

Penso que quanto maior nossa paixão pelo Senhor, mais intensa será nossa adoração a ele. Mas entendo que, por mais extravagante que seja nossa adoração pública, a força da intimidade está no momento a sós com Deus. Eu sempre tento expressar em público meu amor e carinho para com minha esposa, mas jamais a trataria em público da mesma forma como quando estamos a sós. Nossos momentos de intimidade não são para nenhuma plateia assistir!

Creio no poder que uma vida cheia da Palavra e do Espírito Santo tem para nos manter longe da embriaguez negativa, carnal e pecaminosa. Mas essas duas características parecem ser bem melhor vividas na vida daqueles que descobrem a importância da comunhão com o Senhor no lugar secreto.

Separar-se das atividades para estar a sós com o Senhor tem um poder maior do que imaginamos. Ajuda-nos a desligar das distrações e focar toda a nossa atenção em Deus.

CAPÍTULO 3

Um Deus exigente?

> *É necessário que estejamos dispostos a pagar qualquer preço; não importa quanto custa; qualquer preço vale seu sorriso e sua presença.*
> — Smith Wigglesworth

Minha primeira reação, ao entender que deveria avançar a um ponto tal em minha busca ao Senhor *até que nada mais importe*, não foi das melhores. Como compartilhei anteriormente, o sentimento de uma aparente exigência exagerada da parte de Deus, como se fosse apenas uma forma de tornar as coisas mais difíceis para nós, roubava-me a capacidade de rendição e busca que eu precisava alcançar. Talvez você nunca tenha pensado dessa forma ou nada disso o tenha incomodado, mas, ao longo dos anos, eu já tive contato com muita gente que se identificava com esse tipo de pensamento imaturo e carnal. Portanto, quero encorajá-lo a refletir no ensino deste capítulo nem que seja para ajudar alguém que pensa dessa maneira, embora a ideia desse ensino seja a de valorizar mais a bênção de compreender os "porquês" por trás dos princípios do que a crise em si que eles podem gerar em alguns que não entendem.

Por que Deus estaria tão interessado em que nós o coloquemos em primeiro lugar?

Por que ele tem que ser o mais importante, a ponto de todas as outras coisas perderem a importância?

Não sei se você já imaginou Deus como um sujeito um pouco exigente e um ser um tanto egocêntrico, mas eu já. Em minha carnalidade, já pensei e questionei essas coisas, obviamente sem ter a coragem de verbalizar ou oficializar esse pensamento. Preferi acreditar que era um mero e momentâneo devaneio a imaginar que fosse uma espécie de julgamento. Era quase como se, em meu íntimo, eu tivesse vontade de dizer: "Desculpa-me, Senhor! Sei que essa provavelmente não deva ser a verdade a teu respeito e que o problema deve ser a minha limitação e falta de entendimento, mas às vezes me parece um pouquinho que tu tens uma necessidade muito grande de reconhecimento da nossa parte e uma leve inclinação a querer exercer domínio sobre nós..."

Algumas vezes eu me flagrava pensando no que Jesus classificou como o *maior* mandamento: *Amarás, pois, o Senhor, teu Deus, de todo o teu coração, de toda a tua alma, de todo o teu entendimento e de toda a tua força* (Marcos 12:30). Não se trata apenas de amá-lo. Como eu afirmei no capítulo 1, trata-se de amá-lo com *amor total*. Com tudo o que há em nós! Parece ser uma exigência e tanto, não é mesmo?

Outras vezes eu também me via pensando na ordem de Jesus sobre dar prioridade ao reino de Deus acima das nossas necessidades mais básicas:

> *Portanto, não vos inquieteis, dizendo: Que comeremos? Que beberemos? Ou: Com que nos vestiremos? Porque os gentios é que procuram todas estas coisas; pois vosso Pai celeste sabe que necessitais de todas elas; buscai, pois, em primeiro lugar, o seu reino e a sua justiça, e todas estas coisas vos serão acrescentadas* (Mateus 6:31-33).

Essa ideia do lugar de importância acerca de Deus e do seu reino pode ser assustadora se não tivermos o entendimento correto.

É lógico que se eu me imaginasse no lugar do criador provavelmente não aceitaria esse tipo de comentário vindo de uma das minhas criaturas. Mas a intenção desses pensamentos não era disputar com Deus o certo e o errado. O que eu queria, de fato, com toda a sinceridade, era entender melhor tanto o Senhor como o seu princípio de exigir que ele seja sempre o primeiro em nossa vida. Não queria me opor ao que ele estabeleceu por meio da sua Palavra. Não tinha a menor intenção de discutir se era ou não razoável. Só queria entender a melhor lógica por trás disso para não só facilitar a minha própria entrega, como também desfrutar melhor dos benefícios de tal rendição.

Deus não precisa disso!

A primeira coisa que o Senhor me levou a entender, não só racionalmente, mas por *revelação* – e não me refiro com esse termo a alguma espécie de visão mística, mas ao entendimento espiritual do fato – é que esse lugar que o

Pai celeste quer ocupar em nossa vida não é uma necessidade dele. É algo de que nós é que temos necessidade. É para o nosso próprio bem!

Veja bem, eu criei dois filhos que atravessaram a fase da adolescência sem grandes dificuldades. Mas eu sabia, como adolescente que fui, os desafios e contrariedades à fé e aos valores bíblicos que eles enfrentariam, especialmente na escola. Sempre tentei levá-los a confiar em mim e na Kelly, minha esposa e mãe deles. Tentei mostrar-lhes, desde bem cedo, que *os pais "sempre" têm razão*. Por quê? Certamente não era pelo fato de nós, os pais, termos algum problema de autoimagem. Não tínhamos necessidade alguma desse nível de confiança deles. Mas queríamos isso para o bem deles mesmos. Eles é que precisavam nos ter em um lugar de alta confiança para que as outras vozes e conselhos (dos amigos e dos não tão amigos) não concorressem com aquela voz de instrução paternal que os guardaria e protegeria.

O curioso é pensar que, quando criança, no auge da minha imaturidade, eu também não achava "justo" os pais terem razão ou estar numa posição de terem de ser obedecidos, embora eu recebesse contínuos avisos do meu pai, daqueles do tipo "um dia você vai me entender" e não levasse muito a sério. Porém, o tempo passou, e eu me tornei pai e passei a estar na mesma posição em que meus pais também um dia estiveram. E foi quando me dei conta de que havia chegado a minha vez de dizer aos meus filhos (que um dia também dirão aos meus netos): "Um dia vocês irão me entender".

Sempre tentei levar meus filhos a entender que eu estava interessado no bem deles. Se isso vale para nós, os pais terrenos, que Jesus classificou como *maus* (Mateus 7:11), o que dizer do Pai celeste, que é perfeito (Mateus 5:48)? É necessário entender que Deus não é carente, não tem problemas de autoestima, não sofre de um ego inchado ou cheio de necessidades. Não! Ele é completo e absoluto em si mesmo! Um dos nomes com os quais ele se revela nas Escrituras é *El-Shaddai*. Estudiosos acreditam que esse nome remete não só ao significado de "Todo-poderoso", mas que também engloba a ideia de o "Deus que é mais do que suficiente".

O Senhor não necessita do nosso amor e atenção, não necessita que o coloquemos em primeiro lugar em nossa vida, tampouco precisa da nossa adoração ou obediência. Quem precisa dele nesse lugar de distinção somos nós. É para o nosso próprio bem! Somente assim não nos perderemos diante daquilo que promove a concorrência ao seu senhorio. Jesus nos advertiu de que poderia haver outros senhores disputando o senhorio divino em nosso coração: *Ninguém pode servir a dois senhores; porque ou há de aborrecer-se de um e amar ao outro, ou se devotará a um e desprezará ao outro. Não podeis servir a Deus e às riquezas* (Mateus 6:24).

Há outros "senhores" tentando alcançar o domínio do nosso coração. E as riquezas estão no páreo! Mas uma escolha tem de ser feita. Não dá para servir a dois senhores. É a um ou a outro!

O que acontece com Deus se ele deixar de ser nosso Senhor e as riquezas dominarem nosso coração? Nada de mais! Certamente ele sentirá nossa falta, mas nossa escolha equivocada não muda a sua grandeza. E o que nós perdemos se ele deixar de ser nosso Senhor e as riquezas se assenhorearem de nós? Tudo! Porque não haverá glória ou futuro algum sem Deus! Aliás, as Escrituras revelam o desastre na vida dos que fizeram esse tipo de escolha:

> *Ora, os que querem ficar ricos caem em* TENTAÇÃO, *e* CILADA, *e em muitas concupiscências* INSENSATAS *e* PERNICIOSAS, *as quais* AFOGAM *os homens na* RUÍNA *e* PERDIÇÃO. *Porque o* AMOR *do dinheiro é* RAIZ DE TODOS OS MALES; *e alguns, nessa* COBIÇA, *se* DESVIARAM DA FÉ *e a si mesmos se* ATORMENTARAM *com muitas* DORES (1Timóteo 6:9,10 – grifo do autor).

A Bíblia nos ensina, na parábola do semeador, acerca daquela semente que caiu entre espinhos. Estes cresceram e sufocaram aquela semente que havia germinado (Marcos 4:7). Sabemos que a semente é a Palavra de Deus (Marcos 4:14). E qual o significado dos espinhos? Jesus mesmo explicou: *Os outros, os semeados entre os espinhos, são os que ouvem a palavra, mas os* CUIDADOS DO MUNDO, *a* FASCINAÇÃO DA RIQUEZA *e as* DEMAIS AMBIÇÕES, *concorrendo, sufocam a palavra, ficando ela infrutífera* (Marcos 4:18,19 – grifo do autor). E some-se a essa lista a declaração de Paulo aos colossenses: *a avareza, que é idolatria* (Colossenses 3:5). Sim, é isso mesmo. Ele classifica como idolatria a avareza (ou o lugar errado do dinheiro no coração de um cristão).

Os versículos anteriormente citados nos mostram o porquê da incompatibilidade entre os dois senhores. Se o dinheiro dominar nosso coração, a Palavra será sufocada. Poderemos nos desviar da fé, além de outros sofrimentos e dores.

Portanto, quem perde em caso de não haver o senhorio divino no coração do homem? Não é Deus quem perde; somos nós mesmos! Dito isso, por que você acha que Deus quer ser nosso Senhor?

Um Deus acima de qualquer suspeita

Quando avaliamos o desejo de Deus de ser o primeiro, o mais importante, o que deve exercer maior atração e domínio sobre nosso coração e interpretamos isso como abuso ou egocentrismo, é porque nossa natureza carnal está avaliando quais seriam os nossos motivos corrompidos para desejar isso se estivéssemos em seu lugar. O Deus perfeito e incorruptível, que não tem necessidade de coisa alguma, só tem um motivo para desejar esse lugar: guardar o nosso coração de outros senhores que destruirão nossa vida! Portanto, não estamos falando de controle, e sim de proteção.

A fé se apoia no caráter de Deus. Um Deus que está acima de qualquer suspeita! Paulo declarou: *porque sei EM QUEM tenho crido* (2Timóteo 1:12 – grifo do autor). Observe que o apóstolo não disse *em que* tenho crido, e sim *em quem*. A fé entende que Deus é alguém digno de confiança.

Um pequeno vislumbre do que esperar de alguém com motivações perfeitas pode ser visto numa declaração de Jesus. O evangelho de Marcos nos relata que Tiago e João queriam que, depois que Cristo se assentasse no trono da sua glória, eles tivessem o privilégio de se sentarem um à sua direita e outro à sua esquerda. Era mais ou menos como um pedido para serem "ministro da Fazenda" e "ministro do Planejamento", ou algo do gênero. Qual a reação que isso gerou? A Bíblia diz: *Ouvindo isto, indignaram-se os dez contra Tiago e João* (Marcos 10:41). E por que se indignaram? Obviamente porque cada um deles também queria o mesmo lugar! Isso revela o tipo de motivações que temos. Mas que dizer das do Senhor Jesus? Observe a declaração dele e conclua você mesmo:

> *Mas Jesus, chamando-os para junto de si, disse-lhes: Sabeis que os que são considerados governadores dos povos têm-nos sob seu domínio, e sobre eles os seus maiorais exercem autoridade. Mas entre vós não é assim; pelo contrário, quem quiser tornar-se grande entre vós, será esse o que vos sirva; e quem quiser ser o primeiro entre vós será servo de todos. Pois o próprio Filho do homem NÃO VEIO PARA SER SERVIDO- MAS PARA SERVIR e dar a sua vida em resgate por muitos* (Marcos 10:42-45 – grifo do autor).

Não podemos olhar para Deus com o filtro de nossas limitações e motivações erradas. Ele é perfeito (Mateus 5:48). Ele nunca falha. Ele nunca erra. Ele é *o Deus que não pode mentir* (Tito 1:2). Ele é fiel (2Tessalonicenses 3:3). Como disse Paulo: *Que diremos, pois? Há injustiça da parte de Deus? De modo nenhum!* (Romanos 9:14).

CALCULANDO O CUSTO

Alcançar aquele nível de busca em que nada mais importe *não é opcional*. É o padrão divino para todo crente em Jesus. Às vezes somos levados a acreditar que aqueles que cumprem o padrão da busca apaixonada são os que poderíamos classificar como crentes "especiais", enquanto aqueles que não cumprem o padrão seriam classificados como crentes "normais". Grande engano! Preste atenção ao que nosso Senhor falou acerca disso:

> *Grandes multidões o acompanhavam, e ele, voltando-se, lhes disse: Se alguém vem a mim e não aborrece a seu pai, e mãe, e mulher, e filhos, e irmãos, e irmãs e ainda a sua própria vida,* NÃO PODE SER MEU DISCÍPULO. *E qualquer que não tomar a sua cruz e vier após mim* NÃO PODE SER MEU DISCÍPULO (Lucas 14:25-27 – grifo do autor).

Parece-me que muitos acham que os cristãos que decidem tomar a sua cruz são *especiais*. Então o que dizer dos que não tomam a sua cruz? Seguindo essa linha de raciocínio, acabamos concluindo que eles são os *normais*. O problema é que, pelas Escrituras Sagradas, essa ideia não tem base alguma. Jesus ensinou que quem não toma a sua cruz *não pode* ser seu discípulo! Ou se toma a cruz e é um discípulo de Cristo, ou não se toma a cruz e não é um discípulo de Cristo. Não tem outra forma de ver isso. Como disse François Fénelon: "Não há outra forma de viver esta vida cristã, a não ser mediante uma contínua morte para o eu".

É importante observar também que, depois de classificar quem é e quem não é discípulo, na sequência de seu ensino o Senhor Jesus nos mostra que todos deveriam aprender a calcular o custo antes de se lançar em qualquer empreitada:

> *Pois qual de vós, pretendendo construir uma torre, não se assenta primeiro para calcular a despesa e verificar se tem os meios para a concluir? Para não suceder que, tendo lançado os alicerces e não a podendo acabar, todos os que a virem zombem dele, dizendo: Este homem começou a construir e não pôde acabar. Ou qual é o rei que, indo para combater outro rei, não se assenta primeiro para calcular se com dez mil homens poderá enfrentar o que vem contra ele com vinte mil? Caso contrário, estando o outro ainda longe, envia-lhe uma embaixada, pedindo condições de paz. Assim, pois, todo aquele que dentre vós não renuncia a tudo quanto tem não pode ser meu discípulo* (Lucas 14:28-33).

É lógico que o mestre não estava preocupado em ensinar apenas sobre planejamento financeiro, importância de fazer um orçamento ou técnicas da construção civil. Ele usa isso como um exemplo para aqueles que querem ser seus discípulos. Cristo está mostrando, por meio desse exemplo, que é necessário calcular quanto custa ser seu discípulo antes de nos dedicarmos a esse projeto.

O Senhor Jesus nos mostra que, à semelhança da edificação de uma torre, há aqueles que entram na caminhada cristã ignorando completamente o custo necessário para chegar até o fim. Não concluem a construção porque entraram nela completamente despreparados para o custo que os aguarda. O significado da segunda alegoria é o mesmo. Ele fala de um rei que, para entrar em guerra com outro rei, precisa calcular o custo do projeto para ver se pode dar cabo dele. E atente para o detalhe de que, em ambas as parábolas, a moral da história não é apenas sentar para calcular quanto custa a empreitada. A essência da mensagem tem a ver com *por que* temos de fazer as contas.

A conclusão, o ponto central desse ensino de Cristo, é que é melhor não começar do que começar sem ter condições de concluir a empreitada!

A que isso nos remete?

À semelhança daqueles que começaram a construir a torre e não puderam concluir, temos muitos cristãos, ao longo da história e, em especial, em nossos dias, que não completam a carreira cristã. E, assim como foi dito na parábola, o projeto acaba se tornando alvo de zombaria. O evangelho sofre escárnio e até descrédito por conta da nossa ignorância do que é, de fato, ser um cristão.

A mensagem deste livro não diz respeito apenas a ser um cristão melhor. Ela fala de sermos *verdadeiros* cristãos. Se amar ao Senhor de todo o coração é o *maior mandamento* e, mesmo assim, insistimos em nem sequer cumprir o primeiro da lista, o que esperar acerca da nossa obediência aos demais decretos divinos?

Muitos abraçam o evangelho pensando apenas naquilo que podem lucrar com a sua decisão. Infelizmente, a negligência da igreja começa a partir da nossa própria pregação e ensino, em nossa apresentação do cristianismo, que tem se tornado, cada vez mais, focada nos benefícios que as pessoas podem ter – em detrimento do preço que elas terão de pagar.

Preço? Você falou em preço a ser pago na vida cristã?

Eu não, quem falou foi Jesus! Ele é quem disse que temos de calcular o custo antes de começar a carreira cristã.

O conflito que esse conceito gera se deriva de uma visão incompleta dos princípios bíblicos. Ultimamente tenho ouvido muita gente afirmar que "quem entende a graça sabe que não há lugar para esforço na vida cristã". O problema dos que fazem tal afirmação é que estão apenas com parte da verdade, não estão enxergando o quadro todo.

Quando chegamos a Cristo, recebemos uma salvação que é pela fé, e não por obras (Efésios 2:8,9). Não há mérito algum em nós e nada que possamos fazer que nos qualifique a receber a salvação como se ela fosse algum tipo de recompensa. Isso é mais do que óbvio, e ninguém questiona essa verdade.

Porém, uma coisa é dizer que nossos esforços não nos fazem merecedores – o que é fato – e outra coisa é dizer que eles não são necessários e que não podem, em hipótese alguma, interagir com a graça. O próprio Cristo afirmou: *Esforcem-se para entrar pela porta estreita, porque eu lhes digo que muitos tentarão entrar e não conseguirão* (Lucas 13:24, NVI – grifo do autor). Se não há necessidade de esforço, por que Jesus exigiria isso de nós?

A graça não é uma obra unilateral da parte de Deus. O acesso à graça é por meio da fé (Romanos 5:2). Se eu não crer, não acesso os depósitos da graça. Portanto, a graça não apenas age em nossa vida; ela reage ao nosso comportamento de fé. E essa fé não se expressa somente por meio de palavras (Romanos 10:9,10), mas também por meio de obras (Tiago 2:17,18).

As recomendações bíblicas sobre diligência, dedicação e esforço são abundantes no Novo Testamento. Embora elas não nos façam merecedores de Deus ou de seu reino, não significa, em absoluto, que Deus e seu reino não mereçam nossa diligência, dedicação e esforço. Observe a instrução do apóstolo Pedro: *Por isso mesmo, vós, reunindo TODA A VOSSA DILIGÊNCIA [...]. Por isso, irmãos, procurai, COM DILIGÊNCIA CADA VEZ MAIOR, confirmar a vossa vocação e eleição; porquanto, procedendo assim, não tropeçareis em tempo algum* (2Pedro 1:10 – grifo do autor).

A direção é clara e específica. Reunir *toda* a diligência. Não parte dela, mas ela toda! E, depois de empregarmos toda a diligência que já temos, ainda precisamos crescer para aquele nível de dedicação que ainda não temos; ou seja, uma diligência *cada vez maior*.

Paulo também estava disposto a dar o melhor de si para viver a vida cristã. Em sua defesa diante de Félix, governador romano, o apóstolo disse: *Por isso, também ME ESFORÇO por ter sempre consciência pura diante de Deus e dos homens* (Atos 24:16 – grifo do autor). Escrevendo aos coríntios, ele declara: *É por isso que também NOS ESFORÇAMOS, quer presentes, quer ausentes, para lhe sermos agradáveis* (2Coríntios 5:9 – grifo do autor). Além de falar do seu próprio esforço, o apóstolo também recomendava aos cristãos que se esforçassem: *Esforcem-se para ter uma vida tranquila, cuidar dos seus próprios negócios e trabalhar com as próprias mãos, como nós os instruímos* (1Tessalonicenses 4:11, NVI).

Insisto: isso não significa que alcançaremos resultados espirituais apenas mediante o esforço, mas, sim, que não viveremos o melhor de Deus sem ele!

Nosso amor e busca ao Senhor devem ser de todo o coração, nossa obediência e diligência devem ser completos. E com o assunto da nossa entrega não é diferente; o evangelho também requer rendição total. E precisamos, como afirmei anteriormente, notificar as pessoas a respeito do custo antes mesmo de elas começarem a caminhada cristã.

Nossa geração tem recebido um "evangelho transgênico" que apresenta muito bem os direitos do homem na aliança com Deus, mas se recusa a apresentar os deveres do homem no relacionamento com o Senhor.

Quanto custa o reino de Deus?

Alguém, em determinada ocasião, me perguntou:
– Quanto custa o reino de Deus?
Respondi de imediato:
– Tudo o que você tem!
A pessoa, surpresa, me questionou:
– Mas não é de graça?
E eu disparei:
– É pela graça – um favor imerecido –, mas não é sem custo!
Vamos examinar o que Jesus falou sobre esse assunto:

> *O reino dos céus é semelhante a um tesouro oculto no campo, o qual certo homem, tendo-o achado, escondeu. E, transbordante de alegria, vai, vende tudo o que tem e compra aquele campo. O reino dos céus é também semelhante a um que negocia e procura boas pérolas; e, tendo achado uma pérola de grande valor, vende tudo o que possui e a compra* (Mateus 13:44-46).

O ensino é o mesmo nas duas parábolas. Tanto na primeira como na segunda alegorias, temos alguém que encontra algo muito valioso (o campo com o tesouro e a pérola) e, em ambos os casos, o texto diz que a pessoa vende *tudo o que possui* para adquirir o que encontrou.

É lógico que a Bíblia não está dizendo que compramos nossa entrada no reino de Deus. Mas está dizendo que isso nos custa tudo o que temos. Como é possível conciliar isso?

Voltando à conversa que mencionei anteriormente, ao responder que a entrada no reino de Deus é pela graça, mas não sem custo, a mesma pessoa me questionou outra vez:

– Você está querendo dizer que temos de comprar nossa entrada no reino?

Ao que respondi:

– Não, você não compra nada. Na verdade, você é quem é comprado! – E passei, então, a explicar para essa pessoa a obra da redenção. A Palavra de Deus nos revela que Jesus nos comprou para o Pai: *E entoavam novo cântico, dizendo: Digno és de tomar o livro e de abrir-lhe os selos, porque foste morto e com o teu sangue COMPRASTE PARA DEUS os que procedem de toda tribo, língua, povo e nação* (Apocalipse 5:9 – grifo do autor).

A redenção pode ser vista como uma transação comercial, um ato de compra. E as Escrituras nos revelam que a moeda de pagamento foi o próprio sangue de Cristo:

> *Pois vocês sabem que o resgate para salvá-los do estilo de vida vazio que herdaram de seus antepassados não foi PAGO com simples ouro ou prata, que perdem seu valor, mas com o sangue precioso de Cristo, o cordeiro de Deus, sem pecado nem mancha. Ele foi escolhido antes da criação do mundo, mas agora, nestes últimos tempos, foi revelado por causa de vocês* (1Pedro 1:18-20, NVT – grifo do autor).

Qual é a consequência de termos sido comprados?

Isso faz de Deus o nosso dono e faz de nós a sua propriedade: *Vós, porém, sois raça eleita, sacerdócio real, nação santa, povo de PROPRIEDADE EXCLUSIVA DE DEUS, a fim de proclamardes as virtudes daquele que vos chamou das trevas para a sua maravilhosa luz* (1Pedro 2:9 – grifo do autor). Não somos donos de nós mesmos. Paulo explica isso aos coríntios. Depois de dizer que eles não poderiam entregar o corpo à imoralidade, o apóstolo apresenta a eles o motivo: *Acaso, não sabeis que o vosso corpo é santuário do Espírito Santo, que está em vós, o qual tendes da parte de Deus, e que NÃO SOIS DE VÓS MESMOS? Porque fostes COMPRADOS por preço. Agora, pois, glorificai a Deus no vosso corpo* (1Coríntios 6:19,20 – grifo do autor).

Agora passemos à parte prática. Como o resultado desse ato redentor de compra se torna realidade em nossa vida?

Sabemos que essa provisão salvadora nos é oferecida pela graça e se recebe mediante a fé (Efésios 2:8,9). Mas é importante ressaltar que a fé tem uma confissão – uma declaração verbal: *Se, com a tua boca, CONFESSARES JESUS COMO SENHOR e, em teu coração, creres que Deus o ressuscitou dentre os mortos, serás salvo. Porque com o coração se crê para justiça e com a boca se confessa a respeito da salvação* (Romanos 10:9,10 – grifo do autor).

Portanto, além de crer com o coração, é necessário confessar com a boca a fim de receber a salvação. E aí surge outra questão: confessar o quê? A igreja moderna passou a pregar que precisamos confessar Jesus como *Salvador*. Mas não é isso que a Palavra de Deus diz. Ela diz que temos de confessar Jesus como *Senhor*!

Mas Cristo não é nosso Salvador?

Sim, mas esse não é o objeto da nossa confissão; é o resultado.

A palavra "senhor" é fraca em nossa língua e cultura, mas na língua e cultura dos tempos bíblicos, não. Era uma palavra que expressa algo maior do que costumamos mensurar hoje em dia. A palavra grega traduzida por *senhor* no Novo Testamento é *kurios* e, de acordo com o léxico de Strong, significa: "aquele a quem uma pessoa ou coisa pertence, sobre o qual ele tem o poder de decisão; mestre, senhor; o que possui e dispõe de algo; proprietário; alguém que tem o controle da pessoa". E, em relação aos governantes, poderia significar: "soberano, príncipe, chefe, o imperador romano". Resumindo, era "um título de honra, que expressa respeito e reverência e com o qual servos tratavam seus senhores".

Era esse o significado da palavra "senhor". Quando um escravo se dirigia ao seu amo, seu dono, o chamava de senhor. Era o reconhecimento de que ele nada era ou possuía; que em tudo ele era propriedade de seu senhor. Depois de entender isso, precisamos entender por que a Bíblia nos manda confessar Jesus como Senhor (com esse significado). Por trás dessa confissão é que se encontra a resposta de por que o reino de Deus custa tudo o que temos.

O ato redentor de compra realizado por Jesus requer uma apropriação de fé e uma confissão que reconhece, que torna legítimo o ato da compra. Ao confessar que Jesus é Senhor, estamos reconhecendo o direito que ele tem de ser o nosso dono e a consequente condição de sermos sua propriedade. No momento em que nos curvamos ao senhorio de Cristo e o reconhecemos como nosso dono, estamos "desistindo" de possuir qualquer coisa ou mesmo de ser senhores de nós mesmos.

A única forma de entrar no reino de Deus é mediante esse reconhecimento. Portanto, não há duas opções de cristianismo: uma em que você entrega o que quer e quando quer e outra, mais abnegada, em que você entrega tudo. Só existe a última! E mais uma vez enfatizo: Deus não precisa ser Senhor sobre nossa vida e não necessita de nós como seus servos. Nós é que necessitamos estar debaixo de seu senhorio e da sua vontade!

Quando mudarmos a forma de olhar para esse Deus maravilhoso, sem questionar o que pode parecer um alto padrão de exigência, reconhecendo o seu caráter inquestionável e nos dispondo a viver a mais profunda rendição e busca, tudo será diferente.

Neste capítulo abordei o *propósito* de fazer de Deus o mais importante, o primeiro em nossa vida. Isso diz respeito a nos proteger sob seu senhorio. No próximo capítulo darei ênfase às *consequências* de dar a ele esse lugar.

CAPÍTULO 4

A reciprocidade de Deus

> *Se você possui alguma coisa que Deus não pode ter, você nunca terá um avivamento.*
> *– A.W. Tozer*

Afirmei, no capítulo 1, que é necessário compreender não somente que fomos criados para buscar o Senhor, mas também como deve se dar essa busca. Ou seja, a Palavra de Deus nos revela não apenas *para que* fomos criados – para buscar o Senhor –, mas também nos mostra *como* devemos cumprir essa razão da nossa existência. Em outras palavras, qual deve ser a *intensidade* dessa busca.

Demonstrei também que, ao falar acerca dessa busca, que as Escrituras Sagradas nos revelam que ela não pode acontecer de qualquer forma. Há um padrão de busca que Deus determinou para nós. E esse padrão é alcançado somente quando o Senhor se torna mais importante do que qualquer outra coisa em nossa vida.

Devemos chegar a um ponto tal nesse anseio por ele que nada mais importe. O Senhor, por meio do profeta Jeremias, revelou qual é o tipo de busca que pode ser classificado como *eficaz*, que nos levará, de fato, a encontrá-lo: *Buscar-me-eis e me achareis* QUANDO *me buscardes de todo o vosso coração* (Jeremias 29:13).

Portanto, podemos afirmar que o interesse de Deus não está apenas no fato de o buscarmos, mas em *como* fazemos isso. Ele não aceita nada menos que nossa inteira dedicação e paixão nessa busca. Podemos afirmar que o Senhor não está interessado na busca em si, mas no *motivo* que nos leva a buscá-lo.

A nossa busca por Deus ainda é muito, muito fraca. É pobre de intensidade, embora, ainda que de forma moderada, possamos reconhecer que ela aconteça. É lógico que, ao falar assim, estou generalizando. Corro o risco de ser injusto com o que considero ser apenas a minoria dos cristãos, pois, se a maioria de nós estivesse buscando o Pai celestial como deveria, a terra já teria sido profundamente abalada há muito tempo!

Quero continuar batendo na mesma tecla do capítulo anterior, demonstrando que essa intensidade esperada por Deus tem muito mais a ver conosco do que com ele. Esse padrão não foi estabelecido porque o Senhor é altamente exigente. Normalmente não questionamos o motivo de algumas ordenanças divinas, mas entendo que o Todo-poderoso não tem necessidade alguma. Ele não precisa que o busquemos. Tampouco precisa que cheguemos a ponto de buscá-lo até que nada mais importe. Deus é perfeito e completo, absoluto em tudo. Não tem falta ou necessidade alguma!

Os verdadeiros beneficiados em cumprir o padrão divino da busca somos nós mesmos. Há motivos pelos quais esses princípios divinos foram estabelecidos e revelados. Primeiramente trabalhei a ideia de que dar a Deus o primeiro lugar é um princípio que protege o nosso coração, que nos leva a cumprir o *propósito* dessa busca apaixonada. Agora abordarei a questão da *consequência* do cumprimento desse propósito. Essa é a tônica deste capítulo. O propósito é que Deus tenha tudo de nós. A consequência é que tenhamos tudo dele. Recordo-me de uma frase de Valnice Milhomens que ouvi, quando ainda era um adolescente. Ela afirmou: "Você nunca terá tudo de Deus enquanto Deus não tiver tudo de você".

Mal sabia eu que aquela frase que pareceu se agarrar ao meu espírito (e não só à minha memória) seria divinamente usada, nos anos posteriores, para me fazer perceber uma lei espiritual que afeta o nosso relacionamento com Deus. Trata-se do que vou denominar como *a lei da reciprocidade*.

Porque o Senhor instituiu e mantém essa lei, ele nos encoraja a usá-la em nosso próprio benefício. Se entendermos essa lei, entenderemos também a importância de buscar a Deus de todo o coração.

A LEI DA RECIPROCIDADE

Antes de detalhar a lei da reciprocidade na Bíblia, quero começar pela definição da palavra "reciprocidade", que significa "o ato de ser recíproco". Por outro lado, a definição de recíproco é "o que se dá ou faz em recompensa de coisa equivalente; mútuo". Com isso em mente, observe o que Tiago declarou: *Chegai-vos a Deus, e ele se chegará a vós outros...* (Tiago 4:8).

O que a Palavra de Deus nos revela nesse texto?

A mensagem é clara. A ação divina é equivalente à humana. A aproximação é mútua e proporcional. Isso é reciprocidade. E podemos, diante disso, afirmar que o Senhor se move dentro dessa lei da reciprocidade. Vamos, ao longo deste capítulo, considerar várias afirmações e exemplos das Escrituras e constatar que se trata de um padrão.

Até o momento da conversão, o homem é tratado por Deus de modo diferente do que ele tratou seu criador. Um claro exemplo disso é a declaração *onde abundou o pecado, superabundou a graça* (Romanos 5:20). Porém, a partir do início da caminhada com Deus o homem tem de estar ciente da lei da reciprocidade.

Deixe-me antecipar algumas objeções a essa declaração. Essa lei espiritual não anula a soberania de Deus. Pelo contrário, foi justamente o Deus soberano que a estabeleceu por vontade dele.

O que vou compartilhar nas próximas páginas não sugere que o homem esteja no controle de tudo. Não pretendo insinuar que posso escolher tudo o que farei no reino de Deus, nem qual dom ou ministério exercerei, pois isso depende de um chamado específico, depende da vontade de Deus. Entendo isso e procuro viver dependente da vontade e do governo de Deus em minha vida (Tiago 4:13-15). Mas o que quero mostrar, pelas Escrituras, é que a lei da reciprocidade afeta a *intensidade* do meu relacionamento com Deus e a *dimensão* das minhas conquistas nele, ainda que não afete o seu plano e propósito para minha vida.

A verdade é que nossa atitude para com Deus é que determina como Deus, em contrapartida, irá nos tratar. Observe a declaração divina: *Honrarei aqueles que me honram, mas aqueles que me desprezam serão tratados com desprezo* (1Samuel 2:30, NVI).

Quem decide se vai receber de Deus honra ou desprezo é o próprio homem, e não Deus. Quando entendemos que dar honra ao Senhor significa receber honra de volta e que desprezar ao Senhor significa ser desprezado de volta, entendemos também que a escolha do tratamento a ser dado a Deus é nossa. Da parte dele, só podemos esperar reciprocidade: honra por honra e desprezo por desprezo.

Nos dias do rei Asa, Deus enviou Azarias para anunciar a lei da reciprocidade ao reino de Judá:

> *Veio o Espírito de Deus sobre Azarias, filho de Odede. Este saiu ao encontro de Asa e lhe disse: Ouvi-me, Asa, e todo o Judá, e Benjamim. O SENHOR ESTÁ CONVOSCO - ENQUANTO VÓS ESTAIS COM ELE; se o buscardes, ele se deixará achar; porém, SE O DEIXARDES, VOS DEIXARÁ* (2Crônicas 15:1,2 – grifo do autor).

A mutualidade foi claramente definida. Por quanto tempo Deus estaria com aquele povo? A escolha não era definida por ele, e sim pelo próprio povo. Observe a reciprocidade: *o SENHOR está convosco, enquanto vós estais com ele*. E o Senhor poderia deixá-los? Sim! Em que condições? Na mesma base de igualdade de comportamento apresentada anteriormente: *se o deixardes, vos deixará*.

Minha intenção não é ser repetitivo, mas, a fim de demonstrar um padrão encontrado nas Escrituras, é necessário passar por vários textos que mostram a mesma verdade. Observemos, portanto, a advertência divina, por meio de Moisés, destacando os castigos da desobediência dos israelitas a Deus: *Se ainda com isto não vos corrigirdes para volverdes a mim, porém andardes contrariamente comigo, EU TAMBÉM SEREI CONTRÁRIO a vós outros e eu mesmo vos ferirei sete vezes mais por causa dos vossos pecados* (Levítico 26:23,24 – grifo do autor).

O Senhor está dizendo ao seu povo que, se este fosse contrário a ele, a consequência é que ele *também* agiria da mesma forma. Observe a palavra *também*. Ela indica mutualidade.

Vale ressaltar que a reciprocidade, em si mesma, não é boa nem ruim. É simplesmente uma contrapartida de nossas ações. Se minha atitude para com Deus for negativa, então a consequência será igualmente negativa. Se minha atitude para com Deus for positiva, então a consequência será igualmente positiva. Se alguém trata mal o Senhor (com desonra e abandono), será igualmente maltratado por ele (com desonra e abandono). Se você trata Deus diferente (com honra e entrega), será tratado diferentemente por ele (com honra e intervenção). Isso é fato incontestável! Observe o que o Senhor disse ao rei Asa:

> *Naquele tempo, veio Hanani a Asa, rei de Judá, e lhe disse: Porquanto confiaste no rei da Síria e não confiaste no SENHOR, teu Deus, o exército do rei da Síria escapou das tuas mãos. Acaso, não foram os etíopes e os líbios grande exército, com muitíssimos carros e cavaleiros? Porém, tendo tu confiado no SENHOR, ele os entregou nas tuas mãos. Porque, quanto ao SENHOR, seus olhos passam por toda a terra, para mostrar-se forte para com aqueles cujo coração é totalmente dele; nisto procedeste loucamente; por isso, desde agora, haverá guerras contra ti* (2Crônicas 16:7-9).

O rei de Judá estava diante de uma guerra a ser travada. Ele poderia ter experimentado uma grande intervenção divina, como já havia desfrutado no passado; bastava apenas que seu coração fosse totalmente do Senhor – pois, quando nos entregamos totalmente em confiança, podemos ver Deus "se entregando" totalmente em intervenções sobrenaturais.

Porém, a advertência divina foi que, diferentemente do ocorrido anteriormente, agora já não haveria intervenção celestial. O procedimento de Asa foi devidamente classificado: *procedeste loucamente*. Dizer que a derrota foi determinada por Deus seria um grande equívoco. Asa só foi informado das consequências da sua própria atitude.

Passemos a outro texto bíblico que mostra que nossa atitude é que determina qual a revelação de Deus que teremos. *Para com o benigno, benigno te mostras; com o íntegro, também íntegro. Com o puro, puro te mostras; com o perverso, inflexível* (Salmos 18:25,26).

Atente para a correspondência entre a *atitude* humana e a *revelação* divina (Na NVI – Nova Versão Internacional –, a expressão *te mostras* foi traduzida por *te revelas*). Isto é reciprocidade: *com o benigno, benigno te mostras*. A quem Deus irá revelar sua benignidade? A quem escolheu andar em benignidade! A quem Deus irá revelar sua integridade? A quem escolheu andar em integridade! A quem Deus irá revelar sua pureza? A quem escolheu andar em pureza! Porém, observe que ao perverso Deus se mostrará *inflexível*. Outra versão diz *contrário*.

Mas por que Deus revelaria algo bom a uma pessoa e resistiria a outra? Alguém, diante disso, poderia objetar: "Mas a Bíblia não diz que Deus não faz acepção de pessoas?" É verdade! Está escrito: *Porque para com Deus não há acepção de pessoas* (Romanos 2:11). E esse princípio aparece tanto na nova como na antiga aliança: *Pois o SENHOR, vosso Deus, é o Deus dos deuses e o Senhor dos senhores, o Deus grande, poderoso e temível, que NÃO FAZ ACEPÇÃO DE PESSOAS...* (Deuteronômio 10:17 – grifo do autor).

Contudo, isso não anula a lei da reciprocidade. Voltando ao Salmo 18:25,26, citado há pouco, a qualquer um que *escolher* andar em benignidade, Deus igualmente *revelará* sua benignidade; a qualquer um que agir perversamente, Deus se mostrará contrário. Não haverá acepção de pessoas. Um não terá mais privilégios quanto à revelação da benignidade do que outro, embora desfrutar de uma intensidade diferente dessa revelação seja possível e diretamente proporcional à intensidade que a pessoa manifestou em sua atitude.

Certa ocasião, ouvi alguém dizer que o Senhor não faz acepção de *pessoas*, mas faz acepção de *atitudes*. Concordo plenamente! Quando a Bíblia diz que o

Senhor se agradou de Abel (e da sua oferta), mas não se agradou de Caim (e da sua oferta), o foco não estava em quem as pessoas eram, e sim no que essas pessoas fizeram. Essa é a razão de Deus questionar a Caim: *Se procederes bem, não é certo que serás aceito?* (Gênesis 4:7). A aceitação estava relacionada com o proceder de Caim, e não com sua pessoa. Por isso o Senhor também disse: *Se, todavia, procederes mal, eis que o pecado jaz à porta* (Gênesis 4:7).

Quero demonstrar essa verdade bíblica através da comparação de outros dois textos. Ambos falam sobre oferta. Um determina que pessoas de condições materiais diferentes deveriam ofertar *o mesmo valor*. O outro, aparentemente contraditório ao primeiro, estabelece que pessoas de condições materiais diferentes deveriam ofertar *valores diferentes*, proporcionais ao ganho e condição financeira de cada um. Examinemos as porções bíblicas mencionadas:

Contribuição igual: *Disse mais o Senhor a Moisés: Quando fizeres recenseamento dos filhos de Israel, cada um deles dará ao Senhor o resgate de si próprio, quando os contares; para que não haja entre eles praga nenhuma, quando os arrolares. Todo aquele que passar ao arrolamento dará isto: metade de um siclo, segundo o siclo do santuário* (este siclo é de vinte geras); *a metade de um siclo é a oferta ao Senhor. Qualquer que entrar no arrolamento, de vinte anos para cima, dará a oferta ao Senhor. O rico não dará mais de meio siclo, nem o pobre- menos, quando derem a oferta ao Senhor, para fazerdes expiação pela vossa alma* (Êxodo 30:11-15 – grifo do autor).
Contribuição diferente: *No primeiro dia da semana, cada um de vós ponha de parte, em casa, conforme a sua prosperidade, e vá juntando, para que se não façam coletas quando eu for* (1Coríntios 16:2 – grifo do autor).

A aparente contradição se resolve quando entendemos que não se trata de regras diferentes para a mesma coisa. Na verdade, são aspectos diferentes de uma mesma coisa, a oferta ao Senhor. No primeiro texto, constatamos que cada pessoa, seja rica, seja pobre, tem o mesmo valor diante de Deus; esse texto sustenta o princípio de que Deus não faz acepção de pessoas. No segundo texto bíblico, constatamos que cada um contribui conforme a sua prosperidade. Não se trata de uma oferta igualitária, mas de algo voluntário e proporcional à renda. E, nesse tipo de oferta, os resultados também são determinados de acordo com a oferta de cada um. Observe que Paulo ensinou aos mesmos cristãos de Corinto que a bênção que será liberada sobre o ofertante depende de como ele agiu. Em outras palavras, o resultado é proporcional à atitude de cada um: *Lembrem-se: aquele que semeia pouco, também colherá pouco, e aquele que semeia com fartura, TAMBÉM colherá fartamente* (2Coríntios 9:6, NVI – grifo do autor).

Destaquei a palavra *também* no versículo anteriormente citado. Ela indica a mutualidade, a reciprocidade. Uma pequena semeadura produz uma colheita pequena. Uma grande semeadura produz uma colheita grande.

Recapitulando, a ideia de que Deus não faz distinção entre as pessoas é vista na oferta de resgate mencionada no livro de Êxodo. O rico e o pobre são iguais aos olhos de Deus; não há distinção entre eles. Mas e a diferença entre o que colhe pouco e o que colhe muito? O que se vê, nesse caso, não é acepção de pessoas, e sim de atitudes.

Quem escolheu quanto plantar foi o homem, e não Deus. Quem provocou a colheita diferenciada foi o homem, e não Deus. O criador apenas estabeleceu a lei espiritual, mas é o homem que decide como vai usá-la. Deus não vai, de modo algum, anular essa lei da reciprocidade, por ele mesmo instituída, pois, se por um lado ele não faz acepção de pessoas, por outro, ele o faz de atitudes.

É imperativo entender que nosso comportamento afeta o nosso relacionamento com Deus. Entenda que não estou dizendo que Deus seja volúvel e mude de acordo com nossas atitudes. Temos de separar aquilo que Deus é da forma que ele interagirá conosco. Nosso comportamento não muda o que Deus é. A maior prova disso está na declaração de Paulo a Timóteo: *se somos infiéis, ele permanece fiel, pois de maneira nenhuma pode negar-se a si mesmo* (2Timóteo 2:13). Ou seja, meu comportamento de infidelidade não muda o caráter de fidelidade de Deus.

Por quê? Porque ele não pode negar a si mesmo.

Então isso não é contraditório? De forma alguma!

Minhas atitudes não mudam o que Deus é, mas afetam a maneira como ele se revelará a nós. Observe os versículos anteriores ao que acabei de citar: *Fiel é esta palavra: Se já morremos com ele, também viveremos com ele; se perseveramos, também com ele reinaremos; SE O NEGAMOS, ELE, POR SUA VEZ, NOS NEGARÁ* (2Timóteo 2:11,12 – grifo do autor).

A lei da reciprocidade aparece claramente no versículo anterior: *se o negamos, ele, por sua vez, nos negará* (2Timóteo 2:12). Haverá mutualidade no comportamento divino? Com certeza! A infidelidade que leva o homem a negar a Deus gerará uma recíproca de negação da parte de Deus para com o homem; isso é *reciprocidade*. A diferença é que o comportamento humano está expressando quem o homem é, enquanto a reação divina não está expressando quem Deus é; isso é *identidade*. Esta é uma das maneiras do Senhor dizer aos homens: "O que vocês estão vivendo não é, necessariamente, a minha vontade, tampouco a revelação de quem eu sou. Trata-se apenas das consequências das suas escolhas e atitudes".

Precisamos acordar para o fato de que se nossas escolhas – o que inclui a responsabilidade de desejar Deus até que nada mais importe – não nos levarão a uma dimensão mais profunda de relacionamento com ele, então não haveria razão para essa busca.

As pessoas confundem as coisas. Já vi gente dizendo que Deus não irá revelar mais de si a uns do que a outros, tampouco abençoar mais a uns do que a outros, uma vez que ama a todos igualmente. Mas o fato é que os resultados que vivemos não são determinados de forma unilateral pelo Senhor. Por exemplo, desde a antiga aliança, Deus revelou um princípio: obediência atrai bênção (Deuteronômio 28:1-14) e desobediência atrai maldição (Deuteronômio 28:15-68). Não podemos responsabilizar Deus pelas bênçãos ou maldições que as pessoas experimentaram ao longo da narrativa bíblica (e ainda hoje experimentam). O criador estabeleceu a lei espiritual, mas quem escolhe provocar a bênção por meio da obediência ou a maldição por meio da desobediência são as pessoas, e não Deus!

O fato de que todos são igualmente amados pelo Pai celestial (e possuem o mesmo valor diante dele) não nivela o *relacionamento* das pessoas com Deus. Os que são igualmente amados pelo Senhor podem viver diferentes níveis de entrega e rendição em seu relacionamento com ele. Em sua obra *A vida crucificada: como viver uma experiência cristã mais profunda*, citada anteriormente, A. W. Tozer afirma: "Se você possui alguma coisa que Deus não pode ter, você nunca terá um avivamento". Como imaginar que podemos ter mais dele sem que ele tenha mais de nós? Isso fere não somente a lei da reciprocidade como também nos impede de agradar a Deus. Falarei mais sobre a nossa responsabilidade da entrega no capítulo 5.

CAPÍTULO 5

Amado e agradável

*Nunca me sinto melhor do que quando
me esforço ao máximo para Deus.*
— George Whitefield

Há uma diferença entre ser amado por Deus e ter uma maneira de viver a vida cristã que seja agradável a ele. O primeiro determina o nosso valor e tem a ver tanto com o que Deus é como com o que nós somos. O segundo tem a ver com o nosso comportamento e nada a ver com Deus ou nós somos.

A diferença entre ser amado e ser agradável

Deixe-me ilustrar isso com um episódio que vivi anos atrás, quando meu filho Israel tinha apenas 11 anos de idade. O menino chegou do colégio com indícios de nervosismo e, pela época da nossa conversa (era o fim do primeiro bimestre escolar), deduzi que o medo estampado no rosto dele apontava para o fato de que ele teria de entregar o boletim, que, por sua vez, teria alguma provável nota baixa. Fiquei com dó do aparente desespero do Israel e, tentando facilitar a notícia que ele teria de transmitir, adiantei o assunto:

— Em qual matéria você ficou com nota vermelha?

Ele foi logo se justificando:

— Foi em matemática, pai. É que quando eu voltei da nossa viagem houve uma prova surpresa antes que eu conseguisse repor a matéria perdida.

Permita-me definir o contexto do ocorrido. Era a primeira vez que isso acontecia com ele. A Kelly, minha esposa, além de muito boa mãe, é pedagoga e trabalhou anos como orientadora pedagógica; por conta disso, meus filhos tinham que "andar na linha" na questão das notas escolares. Além disso, eu estava me sentindo um pouco culpado porque eu tinha levado o meu filho comigo numa viagem (logo nos primeiros dias do retorno às aulas), e a matéria perdida que ocasionou a dificuldade do Israel manter a média era justamente a daqueles dias da viagem. Portanto, por se tratar de um "réu primário" e eu ter minha parcela de culpa, tentei aliviar o peso que o menino sentia na entrega do boletim escolar. E dei continuidade à nossa conversa, dizendo o seguinte:

– Filho, você está preocupado demais com o que eu possa pensar de você. Acho que você só está tão nervoso porque deve estar confundindo seu *valor* com a sua *performance*. Elas são duas coisas bem distintas.

Então emendei:

– Guarde isso para sempre no seu coração: Nada do que você fizer de *bom* fará com que eu ame você *mais* do que eu já amo. E nada do que você fizer de *errado* fará com que eu o ame *menos*. Quanto eu te amo não tem nada a ver com o que você faz; tem a ver com quem você é. Você é meu filho, e isso basta!

De repente, uma carinha meio malandra foi surgindo em meio à expressão de alívio que se formou no rosto do menino... Quase dava para ouvir o que ele estava pensando: "Então liberou geral? Você me amará igualmente, não importa o que eu faça?"

Era quase como se ele estivesse me perguntando: "E não há motivo algum para que eu me preocupe com a minha *performance* nos estudos?"

Foi quando decidi entrar logo em ação e disparei:

– Ser amado não tem nada a ver com sua *performance*, apenas com o que você é. Mas, se você quer me agradar, aí é outra conversa!

Graças a Deus, meu filho entendeu essa verdade. Isso, por um lado, tirou dele o peso da missão inútil de tentar ser merecedor do meu amor paterno; por outro lado, o conscientizou da responsabilidade de se dedicar mais para me agradar.

Alguns anos depois do ocorrido, li o livro *Extraordinário – o que você está destinado a viver*, de John Bevere,[3] e encontrei uma história semelhante sobre como ele explicou aos seus filhos a diferença entre ser amado e ser agradável. E, depois de estabelecer o mesmo paralelo que apliquei anteriormente,

---

[3] BEVERE, John. *Extraordinário – o que você está destinado a viver*. Rio de Janeiro: Lan Editora, 2010.

ele afirmou: "Sei que isso pode ser uma espécie de choque para você, mas o mesmo acontece em nosso relacionamento com Deus. Não podemos fazer nada para fazer com que Deus nos ame mais do que ele já nos ama; também não podemos fazer nada que faça com que ele nos ame menos. Mas quanto prazer ele sente por nossa causa? Isso é outra história". E acrescentou: "Nos últimos anos, ouvimos falar muito sobre o amor incondicional de Deus – uma discussão muito útil e necessária. Entretanto, muitas pessoas concluíram em seu subconsciente que, uma vez que Deus as ama, ele também está satisfeito com elas. Isso simplesmente não é verdade".

Percebo dois tipos de comportamento errado na igreja e sei que eles nascem de um entendimento errado. Mas não há como tratar do efeito sem tratar da causa.

Há muitos cristãos se esforçando por "merecer" o amor do Pai celestial (mesmo colocando esse *merecer* entre aspas, ele ainda soa muito ridículo). Mas o amor divino não tem nada a ver com *performance*! Jesus, ao contar a parábola do filho pródigo, não disse que o pai estava desmotivado para amar ou perdoar o seu filho quando este regressou para casa. Não! O amor daquele pai não tinha absolutamente nada a ver com a *performance* do seu filho. Muitos estão vivendo nesse extremo. Acreditam que deveriam "merecer" esse amor e nunca conseguem viver à altura do que idealizaram.

Mas há um outro tipo (ou grupo) de cristãos, que sabe que a *performance* não determina valor ou aceitação, a ponto de não se importar com isso. O problema é que essas pessoas não entendem que, para agradar a Deus, diferente de ser amado por ele, temos de dar o melhor de nós.

Toda e qualquer pessoa tem o mesmo valor aos olhos de Deus. Todos são amados por Deus. Mas a pergunta a ser feita é: estamos todos agradando a Deus?

O princípio de agradá-lo é bíblico! *Finalmente, irmãos, nós vos rogamos e exortamos no Senhor Jesus que, como de nós recebestes, quanto à maneira por que deveis viver e* AGRADAR A DEUS, *e efetivamente estais fazendo, continueis progredindo cada vez mais* (1Tessalonicenses 4:1 – grifo do autor).

Há uma maneira de viver e agradar a Deus. Isso deve ser praticado e devemos progredir nisso. É simples assim! Observe os versículos a seguir: *Portanto, os que estão na carne não podem* AGRADAR A DEUS (Romanos 8:8); *De fato, sem fé é impossível* AGRADAR A DEUS, *porquanto é necessário que aquele que se aproxima de Deus creia que ele existe e que se torna galardoador dos que o buscam* (Hebreus 11:6 – grifo do autor).

Uma pessoa que *está na carne* é amada por Deus?
Claro que sim!

E ela está agradando a Deus?
Claro que não!
Uma pessoa que *não consegue andar em fé* é amada por Deus?
Sim!
E ela está agradando a Deus?
Não!
Nenhum de nós pode se esquecer disso. Tanto o ser amado por Deus como o ser agradável a Deus estão relacionados com *valor*. Porém, um determina o nosso valor para Deus enquanto o outro determina o valor de Deus para nós. Muito mais do que apenas ser extraordinariamente amado por Deus – o que determina *o nosso* alto valor para ele –, nós também devemos procurar, em tudo, *agradar* a Deus – o que determina o alto valor dele para nós.

A falta dessa compreensão básica tem impedido muitos de avançar a uma dimensão maior de intimidade com o Senhor. Alguns sabem que, como filhos, são tão amados pelo Pai celeste quanto os outros. O que, infelizmente, ignoram é que poderiam agradar mais ao Pai e desfrutar muito mais dele do que já chegaram a experimentar.

Essa lei da reciprocidade define a intensidade do nosso relacionamento com Deus. Mas, como veremos a seguir, também define o nível de conquistas e experiências que podemos ter com ele.

Quero demonstrar que ir mais fundo é nossa responsabilidade. Não se trata de algo que depende somente de Deus. Pelo contrário, depende de nós usarmos ou não os princípios que ele instituiu e revelou.

Você define o limite

Qual será a intensidade do meu relacionamento com Deus?
Quanto vou experimentar de Deus?
Eu mesmo é que decido!

Já vimos que a lei da reciprocidade define que aquilo que Deus faz – a parte dele – depende daquilo que eu faço – a minha parte.

Vou falar primeiro da intensidade e depois das conquistas. A dimensão de ambas é determinada pela nossa atitude de provocar (ou não) a lei da reciprocidade divina. Vejamos alguns exemplos bíblicos que comprovam isso.

ENTRANDO NO RIO

Uma das figuras do mover do Espírito Santo pode ser vista no rio de Deus. Assim como lemos acerca de um rio, na Cidade Santa, no livro de Apocalipse, também lemos, em Salmos, que *há um rio, cujas correntes alegram a cidade de Deus* (Salmos 46:4). O rio flui do trono de Deus (Apocalipse 22:1,2), ou seja, é uma extensão dele mesmo, e faz coisas que só Deus pode fazer, como comunicar vida, curar etc.

Há um paralelo mencionado em Ezequiel 47, numa visão que o profeta teve, que apresenta muitas similaridades da descrição do rio no Apocalipse.

> *Saiu aquele homem para o oriente, tendo na mão um cordel de medir; mediu mil côvados e me fez passar pelas águas, águas que me davam pelos tornozelos. Mediu mais mil e me fez passar pelas águas, águas que me davam pelos joelhos; mediu mais mil e me fez passar pelas águas, águas que me davam pelos lombos. Mediu ainda outros mil, e era já um rio que eu não podia atravessar, porque as águas tinham crescido, águas que se deviam passar a nado, rio pelo qual não se podia passar* (Ezequiel 47:3-5).

Que lição temos aqui?

Deveria ser simples de entender, mas sei que o princípio aqui revelado tem passado despercebido a muita gente. Para ter mais do rio de Deus, *temos que entrar nele!* É isso mesmo. Não é o rio que invade a sua vida; *é você que tem que entrar no rio!*

Tenho conhecido muitos crentes que passam uma vida inteira esperando uma espécie de enchente espiritual. Avivamento, na concepção deles, parece ser o aguardado momento que ocorrerá essa "santa inundação" e o rio invadirá a sua vida.

Descobri que eu é que preciso entrar no rio. Descobri também que posso parar quando as águas ainda derem nos tornozelos; ou quando ainda derem nos joelhos; ou mesmo nos lombos. Isso não significa que essa seja a vontade de Deus. Penso que assim como o anjo que fazia a medição não deixou Ezequiel parar com as águas nos tornozelos, joelhos e lombos, mas o levou até as águas profundas, assim também o Senhor não quer que paremos nas águas rasas. Nosso destino é o lugar das águas profundas!

Mas, à semelhança do profeta, temos de avançar. Não podemos parar no raso. A profundidade tem que ser buscada. E ela depende mais de nós do que de Deus! O Senhor já criou o acesso e nos revelou o caminho. Só falta decidirmos chegar lá.

Bem, falei acerca da nossa responsabilidade de alcançar uma maior intensidade no relacionamento com Deus. Agora quero abordar a mesma responsabilidade no que tange às conquistas espirituais.

Flechando o chão

Já entendi que o mover de Deus será, em minha vida, do tamanho da minha fé. O limite não está em Deus; pelo contrário, o limite está em nós. Enxergamos isso claramente no episódio da visita do rei Jeoás ao profeta Eliseu:

> Estando Eliseu padecendo da enfermidade de que havia de morrer, Jeoás, rei de Israel, desceu a visitá-lo, chorou sobre ele e disse: Meu pai, meu pai! Carros de Israel e seus cavaleiros! Então, lhe disse Eliseu: Toma um arco e flechas; ele tomou um arco e flechas. Disse ao rei de Israel: Retesa o arco; e ele o fez. Então, Eliseu pôs as mãos sobre as mãos do rei. E disse: Abre a janela para o oriente; ele a abriu. Disse mais Eliseu: Atira; e ele atirou. Prosseguiu: Flecha da vitória do Senhor! Flecha da vitória contra os sírios! Porque ferirás os sírios em Afeca, até os consumir. Disse ainda: Toma as flechas. Ele as tomou. Então, disse ao rei de Israel: Atira contra a terra; ele a feriu três vezes e cessou. [...] Então, o homem de Deus se indignou muito contra ele e disse: Cinco ou seis vezes a deverias ter ferido; então, feririas os sírios até os consumir; porém, agora, só três vezes ferirás os sírios (2Reis 13:14-19,25).

Aqui temos um rei que recebeu uma palavra de Deus através de um dos mais sérios profetas da Bíblia. A promessa era explícita e incluía uma vitória esmagadora e permanente sobre o inimigo: *ferirás os sírios em Afeca, até os consumir*. Essa era a provisão divina, a vontade do Senhor, revelada por meio de seu servo.

Mas qual foi o resultado?

A indignação de Eliseu se manifestou quando aquele rei limitou o que Deus queria fazer. Sim, foi isso que ele fez! Jeoás limitou uma promessa que era bem maior do que ele creu que pudesse ser.

Como esse homem limitou o que lhe fora prometido?

Eliseu ordenou ao rei que atirasse pela janela. E ele o fez. Então profetizou: *Flecha da vitória do Senhor! Flecha da vitória contra os siros! Porque ferirás os sírios em Afeca, até os consumir*. Aquela flecha não foi muito longe do quintal de Eliseu. Não se transformou num míssil balístico, de alta potência, que destruiu o arraial do inimigo. Aquilo era apenas um ato profético, uma declaração ao reino espiritual. E, na sequência, o profeta diz ao rei para ferir o chão, o que foi feito por apenas três vezes. O que o rei de Israel estava dizendo com seu ato? Que três vitórias eram suficientes para ele, que isso já seria mais do que bom. É nesse momento que, muito indignado, Eliseu declara que ele deveria ter ferido a terra mais vezes. E emenda: *então, feririas os sírios até os consumir*. Atente para a palavra *então*. Ela, junto com a conjugação do verbo no condicional, revela o desperdício da provisão divina. Além disso, ainda vem a sentença profética: *porém, agora, só três vezes ferirás os sírios*.

Quem determina a quantidade de vitórias que terá sobre o inimigo?

Aprendemos aqui que nós mesmos é que determinamos a quantidade de vitórias que teremos. E isso por meio da fé que expressamos. Não é a palavra de Deus que garante a vitória. É a nossa fé nessa palavra que produzirá resultados. As Escrituras nos ensinam que é com fé que herdamos as promessas (Hebreus 6:12). Em outras palavras, não basta ter promessa (ainda que divina); é preciso ter fé. Só assim poderemos entender o que Paulo disse a seu discípulo Timóteo: *Este é o dever de que te encarrego, ó filho Timóteo, segundo as profecias de que antecipadamente foste objeto: combate, firmado nelas, o bom combate, mantendo fé...* (1Timóteo 1:18,19*)*.

Mesmo diante de palavras proféticas, Timóteo é encorajado a manter a fé, a combater, firmado nessas profecias, o bom combate. Em outras palavras, temos de lutar pelo cumprimento do que Deus fala. E vemos essa mesma verdade em outras ocorrências bíblicas, como no caso de Abraão. *Porque eu o escolhi para que ordene a seus filhos e a sua casa depois dele, a fim de que guardem o caminho do Senhor e pratiquem a justiça e o juízo; para que o Senhor faça vir sobre Abraão o que tem falado a seu respeito* (Gênesis 18:19).

Repare que o Senhor diz que ele escolheu a Abraão para que o patriarca, por sua vez, fizesse a sua parte, para que, então – e somente então – o Senhor pudesse fazer a parte dele. A falta de fé de nossa parte nos impede de viver a plenitude do que Deus tem para nós. A falta de rendição da nossa parte também produz as mesmas consequências.

Uma verdade bíblica poderosa, resumida e simplificada por John Bevere, em uma frase, tem desencadeado muita coisa em minha vida. Em seu *livro Extraordinário – o que você está destinado a viver*, ele afirma: "Deus não responde à nossa necessidade; ele responde à nossa fé!"

Embora se trate de um princípio tão claro, percebo que, quando repito essa frase em meus ensinos, as pessoas reagem desconfortáveis a essa declaração. Mas vamos observar a aplicação dela na questão da salvação. Todo homem precisa de salvação; isso fica evidente quando lemos que todos *estão debaixo do pecado* e, como está escrito, *não há justo, nem um sequer* (Romanos 2:9,10). É da vontade de Deus que todos se salvem (1Timóteo 2:4). Porém, as pessoas só são salvas *mediante a fé* (Efésios 2:8). Por isso o apóstolo João declarou: *para que todo o que nele crê não pereça, mas tenha a vida eterna* (João

3:16 – grifo do autor). Viver eternamente ou experimentar a condenação eterna depende de crer ou não crer: *quem nele crê não é julgado; o que não crê já está julgado* (João 3:18).

A Bíblia nos revela que o rei Asa venceu uma batalha de modo milagroso porque confiou no Senhor, mas deixou de experimentar a intervenção divina em outra batalha quando não decidiu confiar em Deus (2Crônicas 16:7-9).

Se nós atentássemos para o fato de que, quanto mais nos entregamos ao Senhor mais desfrutamos dele, certamente nossa busca não seria tão rasa. Permita-me, no intuito de despertá-lo a buscar a Deus ainda mais, mostrar-lhe mais uma das facetas dessa lei da reciprocidade.

Cuidando dos interesses de Deus

Um fato interessante que encontramos nas Escrituras, desde a antiga aliança, é que, se cuidamos dos interesses de Deus, ele cuidará dos nossos. Isso é mutualidade. *Porque lançarei fora as nações de diante de ti e alargarei o teu território; ninguém cobiçará a tua terra quando subires para comparecer na presença do Senhor, teu Deus, três vezes no ano* (Êxodo 34:24).

O Senhor estava dizendo aos israelitas: "Não se preocupem com aquilo que é de vocês. Não tenham medo de subir a Jerusalém, três vezes ao ano, como lhes foi ordenado. Quando vocês fizerem isso, as suas terras não ficarão desguarnecidas de proteção".

Não estou dizendo que um crente nunca será roubado ou que jamais sofrerá perdas. Se eu dissesse isso, estaria contradizendo a afirmação de Jesus, que, falando aos seus discípulos – e não a estranhos – disse que aqui na terra os ladrões minam e roubam (Mateus 6:20). Estou apenas dizendo que, no mínimo, há uma declaração divina que expressa algo parecido com isso: "Cuidem do que é meu, que eu cuido do que é de vocês".

A Bíblia revela que, quando ponho Deus em primeiro lugar, ele me supre. *Buscai, pois, em primeiro lugar, o seu reino e a sua justiça, e todas estas coisas vos serão ACRESCENTADAS* (Mateus 6:33 – grifo do autor).

Se eu coloco Deus (e seu reino) em primeiro lugar, minhas necessidades serão supridas por ele! Aleluia! Porém, em contrapartida, quando eu não valorizo as coisas de Deus, ele não valoriza as minhas. Entenda: isso é reciprocidade, e não "birra" da parte de Deus (como alguns, equivocadamente, presumem).

Essa lição é a essência da mensagem do livro de Ageu. No momento em que eles se concentravam em cuidar das suas próprias casas, ignorando a casa de Deus, recebem a seguinte palavra profética por meio de Ageu:

> Tendes semeado muito e recolhido pouco; comeis, mas não chega para fartar-vos; bebeis, mas não dá para saciar-vos; vestis-vos, mas ninguém se aquece; e o que recebe salário, recebe-o para pô-lo num saquitel furado. Assim diz o SENHOR dos Exércitos: Considerai o vosso passado. Subi ao monte, trazei madeira e edificai a casa; dela me agradarei e serei glorificado, diz o SENHOR. Esperastes o muito, e eis que veio a ser pouco, e esse pouco, quando o trouxestes para casa, eu com um assopro o dissipei. Por quê? – diz o SENHOR dos Exércitos; por causa da minha casa, que permanece em ruínas, ao passo que cada um de vós corre por causa de sua própria casa (Ageu 1:6-9).

Qual era a maneira de reverter esse quadro?

Ora, se, por um lado, Deus despreza aqueles que o desprezam, por outro, ele também honra aqueles que o honram (1Samuel 2:30). Quando os judeus se arrependeram e decidiram priorizar a casa do Senhor, tudo mudou. Observe a outra mensagem que o Senhor, por meio do profeta Ageu, enviou ao seu povo daqueles dias:

> Considerai, eu vos rogo, desde este dia em diante, desde o vigésimo quarto dia do mês nono, desde o dia em que se fundou o templo do SENHOR, considerai nestas coisas. Já não há semente no celeiro. Além disso, a videira, a figueira, a romeira e a oliveira não têm dado os seus frutos; mas, DESDE ESTE DIA, VOS ABENÇOAREI (Ageu 2:18,19 – grifo do autor).

Essa lei da reciprocidade me ensina a não permanecer indiferente. Ela me ensina a dedicar-me cada vez mais ao Senhor. Não porque ele precise disso, e sim porque nós precisamos! O entendimento e uso correto dessa lei espiritual nos ajudará a ir além da mediocridade e entrar numa dimensão mais profunda de intimidade com o Senhor. É por isso que precisamos aprender a buscar o Senhor *de todo coração* e *até que nada mais importe*.

CAPÍTULO 6

Fascinados por Deus

> *O que nos molda não é aquilo a que nós dedicamos mais tempo, e sim o que exerce o maior poder sobre nós.*
> – OSWALD CHAMBERS

Você sabia que o livro mais lido do mundo é a Bíblia? E também no Brasil. Esse é o resultado da 4ª edição da pesquisa "Retratos da Leitura no Brasil" (2016), que destaca o Livro Sagrado em primeiro lugar nas listas entre os "livros mais marcantes" e os "últimos livros mais lidos". Esse é o terceiro ano consecutivo em que a Bíblia aparece nessa colocação (os anos anteriores foram 2008 e 2012). Desenvolvida pelo Ibope, sob encomenda do Instituto Pró-Livro (IPL), entidade mantida pelo Sindicato Nacional dos Editores de Livros (SNEL), Câmara Brasileira do Livro (CBL) e Associação Brasileira de Editores de Livros Escolares (Abrelivros), a pesquisa concluiu que a Bíblia Sagrada continua sendo o livro mais lido, em qualquer nível de escolaridade.

Dentre os 66 livros que compõem o Livro Sagrado, o mais lido é o de Salmos. Alex Varughese, editor da obra *Descobrindo a Bíblia: história e fé das comunidades bíblicas*,[4] confirma a informação de Salmos como uma das porções mais lidas das Escrituras e comenta um detalhe que pode sugerir o porquê de uma preferência tão distinta por esse compêndio: "O livro de Salmos é um dos livros mais lidos

---

[4] VARUGHESE, Alex (ed). *Descobrindo a Bíblia: história e fé das comunidades bíblicas*. Rio de Janeiro: Central Gospel, 2012.

e apreciados da Bíblia. Tanto a sinagoga como a igreja continuam a ler, entoar e orar os Salmos. Enquanto outros livros do Antigo Testamento representam a Palavra de Deus para a humanidade, os Salmos elevam a voz da humanidade a Deus".

Outra informação interessante é que, dos 150 salmos, 73 são atribuídos a Davi; ou seja, quase metade dos salmos! Se ainda levarmos em conta que 50 salmos não possuem identificação de autoria, percebemos que restam apenas 27 que se dividem entre vários outros autores. Essa é a provável razão pela qual, quando se fala a respeito dos salmos, o nome de Davi seja o primeiro que nos vem à mente.

Apresento esses dados para destacar um fato: se a Bíblia é o livro mais lido do mundo e, se o livro mais lido da Bíblia é o de Salmos, e dos salmos Davi é o escritor que mais aparece, seria exagero declarar que ele se tornou um dos grandes nomes da história da humanidade? Para o mundo, o rei Davi tornou-se conhecido mais por seus salmos do que por suas guerras. Para os hebreus, provavelmente essa faceta de conquistador tenha bem mais destaque do que para o resto do mundo. Esse homem foi o primeiro líder a levar a nação de Israel a possuir a totalidade da terra prometida, Canaã.

Mas a mais surpreendente classificação de Davi na Bíblia fala não da sua reputação diante dos homens, mas diante de Deus. Sim, ele é o único na Bíblia que foi chamado de *homem segundo o coração de Deus*.

Sabemos que esse adjetivo não foi usado para indicar que ele era um homem perfeito, pois alguns de seus pecados – que são as claras evidências de suas limitações como homem – estão registrados nas Escrituras. Nessa relação de pecados, temos um adultério e um homicídio, ambos os pecados envolvendo um dos seus mais fiéis valentes, Urias, embora seja justo também dizer que os tropeços de Davi se limitam principalmente a essas ações: *Porquanto Davi fez o que era reto perante o* Senhor *e não se desviou de tudo quanto lhe ordenara, em todos os dias da sua vida, senão no caso de Urias, o heteu* (1Reis 15:5).

Então, se não foi por causa da perfeição que o filho de Jessé teria sido chamado de *homem segundo o coração de Deus*, por qual outra razão seria?

Penso que isso se deva a um fato, claramente revelado nas Escrituras, embora nem sempre percebido. Davi foi assim chamado pelo Senhor por apresentar algo *essencial* que o Senhor espera dos homens. A ideia de que Deus está buscando algo nas pessoas pode ser vista na frase: *Achei Davi, meu servo* (Salmos 89:20), embora esse texto sozinho possa sugerir que a busca divina fosse por uma pessoa, e não necessariamente pela característica nela encontrada. Portanto, vejamos outra declaração bíblica – e neotestamentária

– sobre o assunto: ... *elevou-lhes Davi como rei, ao qual também, dando testemunho, disse: Achei a Davi, filho de Jessé, homem segundo o meu coração, e ele fará todas as minhas vontades* (Atos 13:22 – grifo do autor). Esse outro versículo relaciona a frase *achei Davi* com as expressões *homem segundo o meu coração* e *fará todas as minhas vontades*. Elas precisam ser vistas e examinadas como conectadas umas às outras.

Mostrei, pela Palavra de Deus, logo no capítulo 1, que a humanidade foi criada *para buscar a Deus*. E, se essa é a razão da nossa existência, seria de causar admiração pensar que essa é uma das características que o criador mais espera que manifestemos?

Há um texto que revela muito do que o Senhor encontrou em Davi (e que vou explorar melhor depois) e que pode nos ajudar a estabelecer um roteiro e, assim, "juntar as peças do quebra-cabeça" a respeito do homem segundo o coração de Deus. *Uma coisa peço ao Senhor, e a buscarei: que eu possa morar na Casa do Senhor todos os dias da minha vida, para contemplar a beleza do Senhor e meditar no seu templo* (Salmos 27:4).

O foco de Davi em estar perante o Senhor, contemplar a sua beleza e meditar no seu santo templo revela algo especial acerca do que Deus encontrou nele. Essa é a primeira "dica" bíblica que nos ajuda a entender a verdade por trás do que o Senhor achou em seu servo.

O TABERNÁCULO DE DAVI

Outra declaração das Escrituras que amplia o entendimento da primeira – ao mesmo tempo que se soma a ela – é a respeito do tabernáculo de Davi:

> *Naquele dia, levantarei o tabernáculo caído de Davi, repararei as suas brechas; e, levantando-o das suas ruínas, restaurá-lo-ei como fora nos dias da antiguidade; para que possuam o restante de Edom e todas as nações que são chamadas pelo meu nome, diz o Senhor- que faz estas coisas* (Amós 9:11,12).

O profeta Amós foi contemporâneo de Isaías e de Miqueias. Morador de Tecoa (uma vila a dezesseis quilômetros ao sul de Jerusalém), ele foi tirado de trás do gado para ser mensageiro do Senhor em sua geração. Ele pregou em Betel, no reino do Norte (nessa época do *reino dividido* a nação de Israel contava com dez tribos, enquanto Judá e Benjamim compunham o reino do Sul). Ali sofreu forte oposição, o que o levou a retornar a Judá, onde registrou sua mensagem.

Judá vivia, nessa época – e em comparação com as últimas gerações – um momento de glória. Nos dias do rei Uzias, a nação prosperou não só economicamente como também militarmente. Tornou-se uma potência do mundo de então (2Crônicas 26:3-15). Uzias talvez seja, depois de Davi, o maior conquistador que Judá teve. O homem era tido como um herói nacional. Digo isso porque, nos dias do rei Uzias, a nação de Judá chegou o mais perto possível da glória que teve nos dias de Davi. Qualquer um que conhecesse a história (e sabemos que ela era devidamente valorizada e contada) sabia disso. Portanto, em dias de uma possível comparação com o reinado de Davi, não me parece coincidência que Deus tenha protestado ao seu povo justamente para falar do que ele mais sentia falta da geração davídica. Não era do poderio econômico ou militar. Não era da glória de um povo promovendo a glória de seu Deus. Não era da possessão da terra prometida.

O que o Senhor sentia falta dos dias de Davi e queria de volta nos dias de Uzias?

O tabernáculo de Davi!

É isso mesmo! Observe a profecia de Amós: LEVANTAREI O *tabernáculo CAÍDO de Davi,* REPARAREI as suas BRECHAS; e, LEVANTANDO-O DAS SUAS RUÍNAS RESTAURÁ-LO-EI COMO FORA NOS DIAS DA ANTIGUIDADE. Perdoe-me, mas preciso ser repetitivo e enfático. Observe cada uma das frases (e ações) desse texto bíblico que indica a intenção divina:

1) *levantar* o tabernáculo caído;
2) *reparar* as suas brechas;
3) *levantar* o tabernáculo das suas ruínas;
4) *restaurar* o tabernáculo como foi nos dias da Antiguidade.

Deus queria de volta uma única coisa dos tempos gloriosos de Davi: o tabernáculo que foi levantado naquela ocasião! O curioso é que de todos os edifícios levantados e consagrados para ser a casa de Deus nos tempos bíblicos (o que inclui o tabernáculo de Moisés, o templo de Salomão, a reconstrução do templo nos dias de Esdras – e até mesmo o templo de Herodes dos dias de Jesus), o que Davi edificou é o mais simples de todos. Ele não tinha a sobrenatural obra de arte que foi encontrada no de Moisés. Não tinha a glória do templo de Salomão, levantado posteriormente, e nada que pudesse se comparar ao templo de Esdras. Não tinha as suntuosas pedras e edificações do templo de Herodes – cujas ruínas impressionam até hoje.

O tabernáculo de Davi era apenas uma tenda simples com a arca da aliança no meio. O resto da mobília do tabernáculo de Moisés nem sequer foi levado para o tabernáculo de Davi. Em razão disso, é mais fácil concluir que o Senhor queria *o que um dia aconteceu ali* do que a tenda em si.

A pergunta, por ora, é: "O que Deus queria desse tabernáculo?"

Abordarei melhor o que acontecia na tenda levantada pelo rei Davi mais adiante. Por ora, vamos ao um breve resumo. Davi trouxe de volta a arca da aliança – símbolo da presença de Deus – que estava perdida por décadas e colocou-a nesse tabernáculo (1Crônicas 15:1) e depois deu ordens aos levitas que, 24 horas por dia, 7 dias por semana, permanecessem em volta da arca adorando a Deus (1Crônicas 16:1,7,37). A partir desse momento, a música estava oficialmente tornando-se parte do culto ao Senhor. Mas o que está por trás do que Davi fez é maior do que a música. Adiante, voltarei a esse assunto.

Se olharmos apenas para o livro do profeta Amós, pode parecer-nos, a princípio, que essa mensagem fosse somente para o povo dos seus dias. Porém, encontramos no Novo Testamento uma afirmação que mostra que a aplicação dessa mensagem profética liberada por Amós se estende à nova aliança e revela os propósitos atuais de Deus para a Igreja de Jesus Cristo:

Cumpridas estas coisas, voltarei e reedificarei o tabernáculo caído de Davi; e, levantando-o de suas ruínas, restaurá-lo-ei. Para que os demais homens busquem o Senhor, *e também todos os gentios sobre os quais tem sido invocado o meu nome, diz o* Senhor, *que faz estas coisas conhecidas desde séculos* (Atos 15:16-18).

Tiago, o irmão do Senhor, aplicou esse texto como fundamento para a proclamação do evangelho aos gentios, o que me faz entender que, neste tempo em que vivemos, há algo que acontecia no tabernáculo de Davi que Deus quer de volta!

Entenda que não estou falando sobre literalmente construir uma réplica da arca da aliança, colocá-la sob uma tenda e dispor os músicos em volta para, continuamente, louvarem o Senhor. O que Deus quer restaurar é mais do que um *formato* de culto e adoração; até porque, depois desse *upgrade* dado por Davi quanto à adoração, a coisa evoluiu mais ainda! Lembra-se de Jesus falando com a mulher samaritana e anunciando a chegada de um novo tempo? Ele disse: *Mas vem a hora e já chegou, em que os verdadeiros adoradores adorarão o Pai em espírito e em verdade* (João 4:23). Aliás, baseado nessa conversa de Jesus com a mulher samaritana, junto ao poço de Jacó, podemos entender melhor o que Deus está procurando. O final do mesmo versículo citado nos revela algo importante: *porque são estes que o Pai procura para seus adoradores.*

O QUE DEUS ESTÁ PROCURANDO?

O problema de muitos é não entender a essência do que Deus está procurando. Já vi gente afirmando que o Pai procura a verdadeira adoração, mas não foi isso que Jesus falou. Cristo afirmou que Deus, o Pai, procura os verdadeiros *adoradores*, e não a verdadeira *adoração*. São coisas bem distintas! Assim como, se tratarmos do assunto das ofertas, também teremos que ressaltar o interesse de Deus no ofertante, e não na oferta. Se o interesse divino fosse meramente na oferta, então qualquer oferta deveria ser aceita. Mas percebemos, ao longo das Escrituras, que Deus não aceitou a oferta de muita gente. Aliás, a pergunta feita da parte do Senhor, por Malaquias, o profeta, foi: *mas, com tais ofertas nas vossas mãos, aceitará ele A VOSSA PESSOA? – diz o SENHOR dos Exércitos* (Malaquias 1:9 – grifo do autor). Deus aceita o ofertante! Quando ele rejeita a oferta, é porque perdeu o prazer no ofertante: *Eu não tenho PRAZER EM VÓS, diz o SENHOR dos Exércitos, nem aceitarei da vossa mão a oferta* (Malaquias 1:10 – grifo do autor). Ananias e Safira que o digam! Deram uma considerável quantia de oferta e foram julgados. E o que dizer de Abel e Caim, na primeira menção bíblica das ofertas? O próprio texto sagrado responde: *Agradou-se o SENHOR de Abel e de sua oferta* (Gênesis 4:4), *ao passo que de Caim e de sua oferta não se agradou* (Gênesis 4:5). O ofertante sempre é mencionado primeiro. Por razões óbvias!

O diferencial na questão das ofertas – uma das formas de adoração – é o coração com que fazemos o que Deus pediu que fizéssemos. Qual foi o problema de Caim? Segundo as Escrituras, foi seu comportamento. Observe o que o Senhor lhe disse: *Se procederes bem, não é certo que serás aceito?* e, na sequência, complementou: *Se, todavia, procederes mal, eis que o pecado jaz à porta...* (Gênesis 4:7). Entendido isso, a pergunta a ser feita é: "O que estava por trás do comportamento?"

O coração. Repare no que Caim fez: *Aconteceu que NO FIM DE UNS TEMPOS trouxe Caim do fruto da terra uma oferta ao SENHOR* (Gênesis 4:3 – grifo do autor). A palavra usada no original hebraico não é específica sobre quanto tempo se passou. A palavra é vaga e pode se referir a dias, semanas, meses e anos. Mas o que é claro é a palavra *fim*. Ela mostra que Caim deixou Deus para o fim. Isso é ainda mais evidente quando a Bíblia fala de Abel e sua atitude aparece contrastando com a de seu irmão: *Abel, por sua vez, trouxe das primícias do seu rebanho e da gordura deste* (Gênesis 4:4). A palavra *primícias* significa "primeiros frutos". Portanto, quando Abel teve acesso aos seus primeiros ganhos, antes de pensar em usufruir do seu próprio trabalho, colocando-se em primeiro lugar, ele preferiu honrar o Senhor, colocando-o em primeiro lugar e ficando por último. Caim, por sua vez, fez o oposto: colocou-se em primeiro lugar e deixou Deus por último.

O que Deus queria? A oferta? Claro que não! Ele queria a declaração por trás da oferta, o anseio de valorizar Deus por trás daquele ato. O Senhor queria um coração que o valorizasse acima de tudo, inclusive dos ganhos materiais e financeiros.

Qual é o maior mandamento? Ao ser questionado sobre isso, Jesus respondeu que o maior mandamento é *amar a Deus acima de tudo*: *Amarás, pois, o Senhor, teu Deus, de* TODO *o teu coração, de* TODA *a tua alma, de* TODO *o teu entendimento e de* TODA *a tua força* (Marcos 12:30 – grifo do autor).

Quando o Senhor revela esperar que o amemos com tudo que há em nós, de todo o nosso coração, de toda a nossa alma, de todo o nosso entendimento e com todas as nossas forças, está apontando para o fato de que ele quer ser o mais importante em nossa vida. Não porque Deus precise disso, mas porque, se não dermos a ele esse lugar, jamais nos doaremos a esse relacionamento com deveríamos.

Pois bem, permita-me recapitular o que aprendemos até agora e compor melhor "o quadro maior". Já vimos que o homem foi criado para buscar a Deus (Atos 17:26,27) e que a busca eficaz, que de fato nos leva a encontrar o Senhor, está relacionada à intensidade, a buscar a Deus de todo o coração (Jeremias 29:13). Também procuramos entender aquela "uma coisa" que realmente importa, da qual Cristo falou a Marta, irmã de Maria e Lázaro (Lucas 10:38-42), e que Paulo falou de ser o momento em que Jesus se torna tão importante que nada mais importa (Filipenses 3:7,8), razão pela qual não podemos nos distrair e tampouco nos embriagar. Depois, percorremos a Palavra de Deus constatando a lei da reciprocidade; ela nos permite entender que a única razão pela qual temos de buscá-lo intensamente é porque essa atitude é que nos levará à mutualidade divina, a aproximação do Senhor em nossa direção.

Tudo aponta numa só direção: Deus quer um relacionamento com o homem. Isso é evidente desde o primeiro casal, Adão e Eva, que o Senhor estabeleceu no Éden e parecia visitá-lo diariamente (Gênesis 3:8). Quando falo acerca disso, costumo brincar que o Senhor nem "respeitou" a lua de mel do casal. O anseio divino pela comunhão com o homem é inegável.

Mas Deus espera que o nosso anseio por ele também seja intenso. E uma das coisas que podem nos ajudar nessa jornada de entrega é a descoberta de quem ele é. Trata-se da fascinação gerada pela revelação da pessoa de Deus.

Cultivando comunhão e intimidade

É fácil entender por que Deus não quer a adoração nem a oferta e porque ele quer o adorador e o ofertante. O Senhor sempre quis o homem ou, melhor dizendo, a comunhão com a sua criação. É possível ter a adoração sem ter o coração do adorador! Através do profeta Isaías, o protesto divino alcançou os ouvidos da casa de Israel: *Este povo honra-me com os lábios, mas o seu coração está longe de mim* (Marcos 7:6). E, na sequência, o Pai celeste classificou isso como uma adoração inútil, ao dizer *em vão me adoram* (Marcos 7:7). O que é adoração inútil? É a adoração que não traz junto de si o coração do adorador – o verdadeiro alvo da expectativa divina.

Há um padrão, ao longo das Escrituras, mostrando-nos sempre o que Senhor realmente quer. Davi, de quem voltarei a falar em breve, nos mostra uma impressionante percepção, já na antiga aliança, do que realmente é importante no relacionamento com Deus: *a intimidade. A intimidade do Senhor é para os que o temem, aos quais ele dará a conhecer a sua aliança* (Salmos 25:14).

O coração de Davi era continuamente atraído à pessoa de Deus, ao relacionamento pessoal e à busca pela intimidade com o criador. Foi justamente esse anseio, a valorização do relacionamento, que colocou o rei salmista como o homem segundo o coração de Deus.

Outra coisa que ajuda a fortalecer essa ideia é o fato de que nem Davi valorizava tanto a tenda que ele levantou, como Deus o fez posteriormente, dizendo querer vê-la novamente erguida. Na verdade, o rei Davi se incomodava com o fato de morar numa boa casa e a casa de Deus ser uma tenda simples como era. Veja o que diz a Escritura: *Sucedeu que, habitando Davi em sua própria casa, disse ao profeta Natã: Eis que moro em casa de cedros, mas a arca da Aliança do Senhor se acha numa tenda* (1Crônicas 17:1).

O que incomodava a Davi? Era o fato de ele morar numa casa melhor (na perspectiva da qualidade da construção) do que a casa de Deus. Esse dilema é destacado no Salmo 132:

> Lembra-te, Senhor, a favor de Davi, de todas as suas provações; de como jurou ao Senhor e fez votos ao Poderoso de Jacó: Não entrarei na tenda em que moro, nem subirei ao leito em que repouso, não darei sono aos meus olhos, nem repouso às minhas pálpebras, até que eu encontre lugar para o Senhor, morada para o Poderoso de Jacó. Ouvimos dizer que a arca se achava em Efrata e a encontramos no campo de Jaar. Entremos na sua morada, adoremos ante o estrado de seus pés. Levanta-te, Senhor, entra no lugar do teu repouso, tu e a arca de tua fortaleza.

Vistam-se de justiça os teus sacerdotes, e exultem os teus fiéis (Salmos 132:1-9 – grifo do autor).

Mas uma pergunta a ser feita, no que diz respeito ao dilema de Davi, é: "E Deus? Ele estava incomodado com sua casa?" E a resposta é não!

Quando expressou a dor do seu coração por ver Deus numa casa pior que a sua, Davi convenceu o profeta Natã de que aquele era um bom projeto: construir uma casa para o Senhor. Mas Deus repreendeu o profeta e mandou lembrar a Davi que o Senhor nunca havia morado numa casa de cedro, que ele havia andado, geração após geração, de tenda em tenda e de tabernáculo em tabernáculo. Veja a descrição bíblica do ocorrido:

> *Então, Natã disse a Davi: Faze tudo quanto está no teu coração, porque Deus é contigo. Porém, naquela mesma noite, veio a palavra do* SENHOR *a Natã, dizendo: Vai e dize a meu servo Davi: Assim diz o* SENHOR: *Tu não edificarás casa para minha habitação; porque em casa nenhuma habitei, desde o dia que fiz subir a Israel até ao dia de hoje; mas tenho andado de tenda em tenda, de tabernáculo em tabernáculo. Em todo lugar em que andei com todo o Israel, falei, acaso, alguma palavra com algum dos seus juízes, a quem mandei apascentar o meu povo, dizendo: Por que não me edificais uma casa de cedro?* (1Crônicas 17:2-6).

Em outras palavras, Deus estava perguntando: "Quando foi, em qualquer momento, que eu pedi por isso?" Isso não significa que, no plano e propósito divinos, uma casa não viria a ser construída. No mesmo capítulo 17 de 1Crônicas o Senhor fala acerca do templo que Salomão edificaria. Mas, naquele momento, era como se Deus estivesse tentando dizer a Davi: "Você parece estar mais incomodado do que eu com essa situação".

O templo que Salomão veio a edificar posteriormente era magnífico. Mas lá na frente, gerações depois, do que o Senhor tinha saudade? Do que ele sentia falta? Não era do glorioso e magnificente templo de Salomão. Era do tabernáculo de Davi! Por quê? Porque assim como Deus não quer a adoração, e sim o adorador; assim como ele não quer a oferta, e sim o ofertante, assim também ele nunca quis a casa que lhe construíram, e sim o que lhe seria oferecido lá!

Esse é o grande diferencial. A casa de Deus edificada por Davi não era um palácio; era uma tenda simples. E o atrativo desse lugar era o próprio Deus, pois não havia mais nada de empolgante por lá. O tabernáculo de Moisés era uma obra-prima que nenhum homem poderia produzir; os artesãos precisaram ser cheios do Espírito de Deus e divinamente capacitados para realizar a obra que realizaram (Êxodo 35:30-33). O templo de Salomão era de uma extravagância impressionante se atentarmos na quantidade de ouro e metais utilizados. Mas em nenhuma dessas outras casas houve adoração contínua. O padrão de busca ali desenvolvido, que focava muito mais quem Deus é do que o que ele pode fazer, merece nossa atenção.

Agora observe o paradoxo: Davi, como vimos, acreditava que a casa de Deus era inferior à sua própria. Mas, mesmo assim, queria morar na casa de Deus em vez de morar na sua! É o que ele disse no Salmo 27: *Uma coisa peço ao Senhor, e a buscarei: que eu possa morar na Casa do Senhor todos os dias da minha vida...* (v. 4). Observe que ele não está falando de dormir um dia ou dois por lá, mas de morar lá *todos os dias* da sua vida!

E qual a razão para desejar isso? O verdadeiro atrativo daquela tenda: o próprio Deus!

Davi mesmo deixa claro o motivo: *para contemplar a beleza do Senhor e meditar no seu templo* (Salmos 27:4). Quero abordar um pouco mais a questão da contemplação e admiração pelo Senhor. Isso é algo que talvez a gente nem veja nem fale tanto a respeito, mas está na Bíblia.

Dito isso, vamos checar o que a Palavra de Deus ensina. O profeta Isaías descreve, em seu livro, uma visão extraordinária e impactante de Deus.

> *No ano da morte do rei Uzias, eu vi o Senhor assentado sobre um alto e sublime trono, e as abas de suas vestes enchiam o templo. Serafins estavam por cima dele; cada um tinha seis asas: com duas cobria o rosto, com duas cobria os seus pés e com duas voava. E clamavam uns para os outros, dizendo: Santo, santo, santo é o Senhor dos Exércitos; toda a terra está cheia da sua glória* (Isaías 6:2,3 – grifo do autor).

As Escrituras falam de serafins em volta do trono. Tem havido muita discussão sobre o termo "serafim", se ele é ou não uma categoria angelical ou se o termo refere-se apenas ao zelo encontrado nesses seres celestiais, uma vez que a palavra "serafim" significa "aquele que queima". O fato, que nem precisamos discutir, é o que eles faziam ali. Estavam proclamando a santidade de Deus!

Isso aconteceu cerca de setecentos anos antes de Cristo. Agora observemos outro episódio das Escrituras, acrescentando a informação de que isso aconteceu quase cem anos depois de Cristo. Ou seja, temos cerca de oitocentos anos de diferença entre o episódio bíblico da visão de Isaías e o que vem a seguir, a visão do apóstolo João, no Apocalipse. Repare se você percebe as similaridades:

> *Há diante do trono um como que mar de vidro, semelhante ao cristal, e também, no meio do trono e à volta do trono, quatro seres viventes cheios de olhos por diante e por detrás. O primeiro ser vivente é semelhante a leão, o segundo, semelhante a novilho, o terceiro tem o rosto como de homem, e o quarto ser vivente é semelhante à águia quando está voando. E os quatro seres viventes, tendo cada um deles, respectivamente, seis asas, estão cheios de olhos, ao redor e por dentro; não têm descanso, nem de dia nem de noite, proclamando:* Santo, Santo, Santo *é o Senhor Deus, o Todo-Poderoso, aquele que era, que é e que há de vir* (Apocalipse 4:6-8 - grifo do autor).

Em primeiro lugar, temos Deus no trono. Em segundo, temos seres celestiais proclamando o mesmo coro ouvido por Isaías: *santo, santo, santo*. Em terceiro, temos que reconhecer que eles estão numa atividade contínua e ininterrupta, pois está escrito que *não têm descanso, nem de dia nem de noite*. Ou seja, se no livro de Isaías não dá para ter certeza de quanto tempo estava por trás daquela cena de adoração, em Apocalipse encontramos isso com clareza. Em quarto e último lugar, temos a contemplação: enquanto no livro de Isaías isso não está tão claro, uma vez que os serafins cobriam o rosto, no Apocalipse lemos que os seres viventes *estão cheios de olhos, ao redor e por dentro* (Apocalipse 4:8).

A primeira pessoa que me falou sobre isso foi meu amigo Dwayne Roberts, como mencionei na introdução do livro. Ele perguntou: se nós estivéssemos naquela posição dos seres à volta do trono, proclamando noite e dia, sem parar, a santidade de Deus, quanto tempo aguentaríamos. Isso me chocou. Só entre a visão de Isaías e a de João são quase oitocentos anos. Mas a Bíblia não diz quando começou e, certamente, ainda não terminou.

Recordo-me de que o Dwayne comentou, dez anos atrás, que a única coisa que não deixaria esses seres celestiais entediados (ou a gente, no lugar deles) é se, em vez de apenas repetir algo decorado, eles estivessem sendo "alimentados" por algo que contemplavam.

Sim, é disso que esse texto fala! Trata-se de contemplar a beleza de Deus e reconhecer que ele é um ser inesgotável. Era disso que Davi falava ao mencionar que queria *contemplar a sua formosura*. Os seres viventes também *eram cheios de olhos*. Isso fala não só do fato de que há muita beleza divina para poucos olhos (penso que só dois olhos como temos não são suficientes para contemplar tanta beleza!), mas também fala de *foco* e daquela busca *sem distração* que já foi abordada.

Pois bem, já falei do que Deus espera de nós baseado no que ele encontrou em Davi. Agora passemos às ações práticas do homem segundo o coração de Deus.

A NOSSA RESPONSABILIDADE

Voltemos ao texto bíblico que expressa muito do coração do cantor de Israel: *Uma coisa peço ao Senhor, e a buscarei: que eu possa morar na Casa do Senhor todos os dias da minha vida, para contemplar a beleza do Senhor e meditar no seu templo* (Salmos 27:4 – grifo do autor).

Destaquei as palavras-chave no versículo anteriormente mencionado para ajudar a nossa reflexão e aplicação:

1) *uma coisa;*
2) *peço;*
3) *buscarei;*
4) *morar;*
5) *contemplar;*
6) *meditar.*

Prioridade

Observe a declaração do salmista: *Uma coisa peço ao Senhor*. A expressão *uma coisa* indica prioridade. Obviamente havia algo que se destacava das demais coisas para Davi. Ele, como rei, podia ter praticamente o que quisesse, além do fato de que também tinha crédito com Deus. O profeta Natã, quando o repreendeu por seu adultério, disse da parte do Senhor: *Dei-lhe a casa e as mulheres do seu senhor. Dei-lhe a nação de Israel e Judá. E, se tudo isso não fosse suficiente, eu lhe teria dado mais ainda* (2Samuel 12:8, NVI – grifo do autor). Em outras palavras, Deus estava dizendo o seguinte: "Se lhe faltava alguma coisa que não dei, bastava pedir que você receberia".

Agora pense comigo. Você pode ter quase tudo o que quiser, mas resolve pedir *uma coisa* só. Essa coisa precisaria ser bem importante para escolhê-la em detrimento das demais, não é verdade? Quando Davi fala dessa *uma coisa*, quando Jesus fala a Marta sobre essa *uma coisa* e quando Paulo fala que tudo que era lucro se tornou em perda diante dessa *uma coisa*, estão todos falando de uma coisa só.

É quando Deus se torna tão importante que o resto perde a sua importância!

Petição

A frase *Uma coisa peço ao Senhor* indica a presença de uma petição. Depois de definida a prioridade, o salmista segue falando que pediu isso ao Senhor.

Nossas orações refletem as nossas prioridades e também a nossa *dependência* de Deus para alcançar o que não conseguiríamos sozinhos. Jesus disse: *sem mim nada podeis fazer* (João 15:5). Precisamos dele em tudo e para tudo. Até para viver aquilo que o Pai planejou para nós, precisamos da sua graça, dos seus recursos e da sua liderança e intervenção. Portanto, devemos ir à fonte a fim de poder desfrutar dessa bendita *uma coisa*.

Busca

Ao mesmo tempo que Davi orava a Deus por isso, ele também estava determinado a *buscar* essa *uma coisa*. A expressão *e a buscarei* aponta para tal. Isso nos remete ao entendimento de que há duas partes envolvidas nessa história: a parte de Deus e a nossa parte.

Devemos pedir a ajuda dele sem achar que isso nos isenta da nossa responsabilidade de buscar. Assim como a oração, a busca em si também é uma ferramenta de aproximação de Deus. E ela ainda garante, pela lei da reciprocidade, que também haverá a aproximação divina em nossa direção. No mesmo salmo, encontramos, no versículo 8, uma frase que mostra uma disposição interior do coração de Davi para buscar a Deus: *Quando disseste: Buscai o meu rosto; o meu coração te disse a ti: O teu rosto, Senhor, buscarei* (Salmos 27:8). Essa busca é uma decisão e também uma atitude do coração.

Vale lembrar, também, que há uma forma correta de buscar o Senhor: *Buscar-me-eis e me achareis quando me buscardes de todo o vosso coração* (Jeremias 29:13).

Morada

A frase *que eu possa morar na Casa do Senhor todos os dias da minha vida* indica um coração completamente atraído por um lugar que não era o seu próprio palácio. O que o homem de Deus estava declarando era mais ou menos o seguinte: "Eu não quero encontros ocasionais com a presença divina; quero viver isso todos os dias! Eu não quero a religiosidade; quero é a intimidade e o relacionamento com Deus!"

O anelo de Davi pela casa do Senhor, como já vimos, não é porque houvesse lá algum tipo de atrativo senão a presença de Deus. Nessa época, a presença divina estava reclusa ao ambiente do templo e/ou associada à arca. Quando a arca da aliança voltou a Israel, foi colocada no tabernáculo de Davi. Ela representava a presença do Senhor.

Observe esta declaração de Davi: *Eu amo, Senhor, o lugar da tua habitação, onde a tua glória habita* (Salmos 26:8). O que atraía o servo do Senhor era a própria presença divina, a glória que ali se manifestava.

Lembre-se de que o Senhor não deseja apenas que nós o busquemos. Ele deseja que nós *queiramos* buscá-lo! Esse anseio do homem segundo o coração de Deus é que validava a sua busca. E também é o que irá validar a nossa.

Contemplação

A expressão *para contemplar a beleza do Senhor* indica o propósito pelo qual Davi queria estar todos os dias na casa de Deus. Já falei antes sobre contemplação, mas quero abordar aqui algo diferente. Não se trata apenas de contemplar o que é belo, no caso os atributos divinos. Trata-se de se deixar *fascinar* por aquilo que podemos contemplar. Este capítulo fala a respeito da fascinação pela presença do Senhor.

O que levava o apóstolo Paulo a declarar *considero tudo como perda, por causa da sublimidade do conhecimento de Cristo Jesus, meu Senhor* (Filipenses 3:8)? Era a sua fascinação pela pessoa de Cristo. O que era essa grandeza, essa coisa tão superior e sublime diante da qual o resto perdia a importância? Era um lugar, uma dimensão espiritual de fascinação onde ele havia entrado!

Meditação

A frase *e meditar no seu templo* revela um segundo propósito (além da contemplação) pelo qual Davi queria estar todos os dias na casa de Deus. A palavra traduzida por meditar, no original hebraico, é *baqar.* De acordo com o léxico de Strong, significa "buscar, perguntar, considerar, refletir". Aparece também em algumas versões bíblicas como *inquirir* (Almeida Revista e Corrigida) e *estudar* (Tradução Brasileira). Se olharmos o contexto mais abrangente das traduções dessa palavra, podemos entender um pouco mais a abrangência do seu significado. Em Levítico 13:36, ela é traduzida por *procurar*, falando do *exame* que o sacerdote precisava fazer no leproso. Em Levítico 27:33, a tradução dessa palavra é *investigar*. Em 2Reis 16:15, a tradução aponta para *deliberar*. Em Ezequiel 34:11,12, aparece como *buscar*, falando da ovelha perdida. A soma desses possíveis significados fala de alguém que vai ao santuário de Deus para estudá-lo, examiná-lo, investigá-lo... Todas essas expressões falam de alguém que decidiu procurar conhecê-lo melhor.

Deus quer ser conhecido e tenta se revelar ao homem. Escrevendo aos romanos, Paulo afirmou que a própria criação divina tenta levar o homem nessa direção do conhecimento de Deus:

> *Porquanto o que de Deus* SE PODE CONHECER *é manifesto entre eles, porque Deus lhes manifestou. Porque os atributos invisíveis de Deus, assim o seu eterno poder, como também a sua própria divindade,* CLARAMENTE SE RECONHECEM, *desde o princípio do mundo, sendo percebidos por meio das coisas que foram criadas* (Romanos 1:19,20 – grifo do autor).

Concordam com isso as palavras do salmista: *Os céus proclamam a glória de Deus, e o firmamento anuncia as obras das suas mãos* (Salmos 19:1).

Citei este salmo porque ele é atribuído a Davi. Embora o salmista reconhecesse que é possível conhecer mais desse Deus que deseja ser conhecido, ele não fala apenas de contemplar a criação. Ele fala, no Salmo 27:4, de ir ao santuário, separar um tempo de qualidade na presença daquele que precisamos não somente adorar, mas *conhecer*!

A. W. Tozer fez uma clara distinção do comportamento da busca dos santos da Antiguidade com os da atualidade: "Hoje, buscamos Deus e paramos de sondá-lo, enquanto os antigos santos buscavam Deus, encontravam-no e continuavam buscando-o mais e mais".

Jesus nos mandou entrar no quarto e fechar a porta para falar com o Pai em secreto. Se não fizermos isso, a intimidade não vai acontecer. E a intimidade envolve o conhecimento profundo de quem ele é.

Que o nosso coração seja tomado de uma fascinação cada vez maior por Jesus! Que uma santa obsessão por Cristo se aposse de nós!

CAPÍTULO 7

Descobrindo os tesouros de Cristo

Um pouco de conhecimento de Deus vale muito mais do que uma grande quantidade de conhecimento sobre ele.
— J. I. PACKER

Você já participou de alguma "caça ao tesouro"? Acho engraçado ver as gincanas de jovens e adolescentes nos retiros das igrejas, a mobilização que fazem por um tesouro que não é bem *um tesouro*. Mas há verdadeiros caçadores de tesouro! Se por um lado há pessoas que se empolgam com um prêmio que de tesouro só tem o nome, por outro, há aqueles que de fato estão buscando tesouros verdadeiros.

O *site* da BBC Brasil noticiou, em agosto de 2015: "Caçadores de tesouros encontram 4,5 milhões de dólares em moedas de ouro em um galeão espanhol do século 18". E parte da reportagem esclarece: "Caçadores de tesouros nos Estados Unidos informaram que descobriram 350 moedas de ouro espanholas do século 18 que valem 4,5 milhões de dólares. As moedas ficaram no fundo do oceano Atlântico na costa do estado americano da Flórida durante trezentos anos. O carregamento pertencia a uma frota de onze galeões espanhóis que afundaram durante um furacão enquanto faziam a viagem de Cuba à Espanha. A descoberta é o segundo grande achado feito por caçadores de tesouros nos últimos meses. Em junho, foram encontradas cerca de cinquenta moedas no valor de um milhão de dólares".

Hoje há muita gente no mundo investindo tempo e dinheiro – e muito dinheiro – na busca de tesouros perdidos. O que os faz investir tanto nessa empreitada? A possibilidade de encontrarem uma boa e genuína recompensa.

A verdade é que, seja uma caça ao tesouro ou não, em qualquer outra situação em que mensuramos uma grande recompensa e constatamos que ela vale a pena, nos dispomos a correr atrás do prêmio. Portanto, penso que, se entendêssemos que há um tesouro a ser encontrado no relacionamento com Cristo, a maneira de buscá-lo – que é o tema central deste livro – mudaria drasticamente em nossa vida.

Não estou dizendo que o tesouro a ser buscado seja o encontro com Cristo que todo pecador necessita. Não! Estou falando aos que já se converteram e tiveram o seu encontro com Cristo e ainda não sabem do tesouro que está à disposição deles!

O fato é que há um tesouro, chamado de "tesouro escondido", e o apóstolo Paulo falou acerca dele em sua carta aos Colossenses:

> Para que o coração deles seja confortado e vinculado juntamente em amor, e eles tenham toda a riqueza da forte convicção do entendimento, para compreenderem plenamente o mistério de Deus, Cristo, EM QUEM TODOS OS TESOUROS da sabedoria e do conhecimento ESTÃO OCULTOS (Colossenses 2:2,3 – grifo do autor).

Além de usar as palavras *entendimento* e *compreensão*, o apóstolo também emprega as palavras *sabedoria* e *conhecimento*. A correlação entre elas deixa claro em que direção estamos sendo conduzidos. O tesouro é o conhecimento, a sabedoria, a compreensão, o entendimento dos mistérios de Cristo. Paulo diz *para compreenderem plenamente o mistério de Deus, Cristo* porque nossa compreensão ainda não é plena; é parcial.

O desafio é conhecer a plenitude de Cristo. E precisamos entender que esse conhecimento é progressivo. Como disse o profeta Oseias: *Conheçamos e prossigamos em conhecer ao SENHOR* (Oseias 6:3). A maneira como o apóstolo Paulo exaltou a *sublimidade do conhecimento de Cristo Jesus* (Filipenses 3:8) poderia sugerir que ele estivesse falando de algo que o pecador ainda precisa alcançar e que nós, os convertidos, na verdade já teríamos. Porém, logo depois ele fala, taxativamente, do seu alvo: *para o conhecer* (Filipenses 3:10). Isso não significa que o apóstolo dos gentios não conhecia *nada* acerca de Jesus. Significa apenas que ele ainda não conhecia *tudo* acerca de Jesus.

Será que já conhecemos tudo sobre Jesus? Se sim, porque Paulo faria orações como as que fez (e transcrevi na página seguinte)?

> *Não cesso de dar graças por vós, fazendo menção de vós nas MINHAS ORAÇÕES, para que o Deus de nosso Senhor Jesus Cristo, o Pai da glória, vos conceda espírito de sabedoria e de REVELAÇÃO no PLENO CONHECIMENTO DELE, iluminados os olhos do vosso coração, PARA SABERDES QUAL É a esperança do seu chamamento, QUAL A riqueza da glória da sua herança nos santos e QUAL A suprema grandeza do seu poder para com os que cremos, segundo a eficácia da força do seu poder; o qual exerceu ele em Cristo, ressuscitando-o dentre os mortos e fazendo-o sentar à sua direita nos lugares celestiais* (Efésios 1:16-20 – grifo do autor).

Por esta razão, também nós, desde o dia em que o ouvimos, não cessamos de orar por vós e de pedir que transbordeis de pleno conhecimento da sua vontade, em toda a sabedoria e entendimento espiritual, a fim de viverdes de modo digno do Senhor, para o seu inteiro agrado, frutificando em toda boa obra e crescendo no pleno conhecimento de Deus (Colossenses 1:9,10 – grifo do autor). Além disso, o apóstolo fala, em sua carta aos crentes efésios, de algo que ainda não alcançamos e, portanto, devemos buscar: *ATÉ QUE TODOS CHEGUEMOS à unidade da fé e do PLENO CONHECIMENTO DO FILHO DE DEUS, à perfeita varonilidade, à medida da estatura da plenitude de Cristo* (Efésios 4:13 – grifo do autor).

Portanto, o ponto a ser explorado aqui é que há mais de Jesus para que eu e você conheçamos! Há tesouros – os tesouros da sabedoria e da ciência – escondidos em Cristo, aguardando ser encontrados. Quem se aventura a essa busca?

UMA JORNADA DE DESCOBERTA

Desde o início da sua caminhada de fé, o apóstolo Paulo tomou conhecimento de que havia mais acerca de Jesus a ser descoberto do que aquilo que lhe foi revelado na sua conversão. Sabemos que o Senhor Jesus, de forma contundente e gloriosa, apareceu a ele na estrada para Damasco. Mas nessa mesma ocasião Cristo fez distinção entre o papel de Paulo de ser testemunha dessa primeira visão e das outras que ele ainda haveria de ter. Sim, é isso mesmo que estou falando! O apóstolo dos gentios, além de ver Jesus na sua conversão, recebeu uma promessa de que o veria outras vezes! Observe o relato bíblico:

> *Então, eu perguntei: Quem és tu, Senhor? Ao que o Senhor respondeu: Eu sou Jesus, a quem tu persegues. Mas levanta-te e firma-te sobre teus pés, porque por isto te apareci, para te constituir ministro e testemunha, tanto das coisas em que me viste como daquelas pelas quais TE APARECEREI AINDA* (Atos 26:15,16 – grifo do autor).

Isso quer dizer que Paulo sabia, desde o início, que havia uma dimensão maior de conhecimento e revelação de nosso Senhor Jesus Cristo. Portanto, penso que, ao falar dos tesouros da sabedoria e da ciência escondidos em Cristo, o apóstolo queria nos despertar para a "caça ao tesouro" ou para o que prefiro denominar de *uma jornada de descoberta*.

Esses preciosos tesouros estão escondidos em Jesus com qual propósito? Não acredito que seja para permanecerem ocultos, mas, sim, para serem *descobertos* por aqueles que procuram. Isso faz todo o sentido para mim quando penso que, por trás da busca, há uma promessa de revelação. O mesmo profeta Jeremias que foi usado por Deus para falar de buscar o Senhor de todo o coração também o foi para nos dizer o seguinte: *Invoca--me, e te responderei; anunciar-te-ei coisas grandes e ocultas, que não sabes* (Jeremias 33:3).

Eu sei que para muitos a oração talvez não passe da primeira fase: invocar e ser respondido. Mas, no plano divino, há mais – muito mais – do que isso à nossa disposição. O Senhor também nos prometeu revelação. Sim, ele disse: *anunciar-te-ei coisas grandes e ocultas, que não sabes.* Aleluia! Podemos entrar numa dimensão maior de compreensão não somente das verdades, como também da pessoa de Jesus Cristo.

Já vimos, no capítulo 1, que Deus se revela àqueles que o buscam e que não está longe (inacessível, inalcançável) de cada um de nós (Atos 17:27). Também demonstramos, pela Palavra de Deus, que à proporção que o buscamos é que poderemos encontrá-lo (Tiago 4:8) e que precisamos desenvolver uma fascinação por ele. Essa fascinação será o combustível dessa busca. Mas ela não é só uma obsessão por Cristo, como também é um profundo anelo de conhecê-lo melhor. E este capítulo trata da jornada de descoberta desses tesouros escondidos.

Para entender melhor esses tesouros escondidos em Cristo, quero fazer uso de uma figura simbólica, tipológica, que o próprio Jesus utilizou. Trata--se de uma de suas promessas aos vencedores: *Quem tem ouvidos, ouça o que o Espírito diz às igrejas: Ao vencedor, dar-lhe-ei do* MANÁ ESCONDIDO (Apocalipse 2:17 – grifo do autor).

Por que Jesus mencionou o maná *escondido*?

É óbvio que ele estava falando de algo espiritual. Portanto, como veremos a seguir, não se tratava do maná literal. Também me parece igualmente óbvio que ele estava falando de algo bom o suficiente para ser considerado uma recompensa estimuladora para vencer.

Falo disso em meu livro *O conhecimento revelado*;[5] nele me limito a falar da revelação da Palavra de Deus. Aqui quero abranger um pouco mais e falar do conhecimento da pessoa de Cristo por meio da sua Palavra. Vamos examinar, portanto, a tipologia bíblica em questão.

A TIPOLOGIA DA ARCA E DO MANÁ

Gosto de dizer que o Antigo Testamento *ilustra* o Novo, enquanto o Novo Testamento, por sua vez, *explica* o Antigo. O autor de Hebreus afirma que *a lei tem sombra dos bens vindouros, não a imagem real das coisas* (Hebreus 10:1). Paulo também falou de festas e dias sagrados da Lei mosaica em sua carta aos Colossenses e se referiu a isso da seguinte maneira: *as quais coisas são sombras das vindouras* (Colossenses 2:17, TB).

O que significa, na tipologia bíblica, uma *sombra*? É a projeção limitada de uma forma. Por exemplo, se eu estender a mão sobre o computador em que digito o texto original deste livro agora, vejo projetada nele a silhueta da minha mão. A sombra não tem cor, não revela a textura da minha pele, nem dá o efeito tridimensional que a própria mão tem. A sombra apenas nos permite ter uma vaga noção do que a está projetando. Essa era a revelação da antiga aliança: só víamos a sombra, e não a mão. Mas a revelação da nova aliança nos permite não somente ver a sombra, como também a mão que a projeta!

Por exemplo, aquela serpente de bronze levantada por Moisés no deserto (Números 21:4-9) era uma sombra, um tipo. Era uma figura profética que revelava o que ainda estava por vir. Naquele tempo, só se via a sombra, sem se entender o que a projetava. Até que veio o antítipo (o cumprimento do tipo), Jesus, que revelou que a serpente de metal era uma figura que se cumpriria nele: *E do modo por que Moisés levantou a serpente no deserto, assim importa que o Filho do homem seja levantado* (João 3:14).

Assim, como queremos entender o que Jesus falou sobre o maná escondido, focaremos a tipologia bíblica do maná.

O que o maná figura?

Lemos em Hebreus 9:4, acerca da arca da aliança, que ele tinha em seu interior um vaso de ouro com o maná, além das tábuas da Lei e a vara de Arão que floresceu. Lembre-se de que na arca e nos elementos em seu interior não temos a imagem exata das coisas, e sim a sombra dos bens futuros. Ao analisar esses objetos, segundo o ensino do Novo Testamento, precisamos

---

[5] SUBIRÁ, Luciano. *O conhecimento revelado*. Curitiba: Orvalho, 3ª. edição, 2005.

ir além da imagem exata – o que vemos neles literalmente – e compreender a sombra, ou seja, o que eles tipificam: os bens futuros da nova aliança.

Para entendermos isso claramente, compararemos dois textos bíblicos, um do Antigo Testamento, apresentando a figura, e um do Novo Testamento, interpretando-a.

> *Ele te humilhou, e te deixou ter fome, e te sustentou com o maná, que tu não conhecias, nem teus pais o conheciam, para te dar a entender que não só de pão viverá o homem, mas de tudo o que procede da boca do Senhor viverá o homem* (Deuteronômio 8:3).

> *Jesus, porém, respondeu: Está escrito: Não só de pão viverá o homem, mas de toda palavra que procede da boca de Deus* (Mateus 4:4).

Observe que, em Deuteronômio, as Escrituras dizem que *o homem não vive só de pão, mas de tudo o que sai da boca do Senhor*. E, segundo esse texto, o que saía da boca do Senhor? O maná! Agora repare que Jesus usa essas mesmas palavras, ao ser tentado no deserto pelo diabo, e as interpreta assim: *Nem só de pão viverá o homem, mas de toda palavra que sai da boca de Deus*. Ele substitui o termo "maná" por "palavra de Deus", que era o significado dessa figura, a qual não tinha a imagem exata, mas era uma sombra de um bem vindouro.

O maná, portanto, é um *tipo* ou *símbolo* da Palavra de Deus. É o alimento que vem do céu para o sustento do seu povo.

E qual é a figura da arca da aliança? Ela representa a presença de Deus no meio dos homens. Veja a passagem bíblica que autentica essa afirmação: *Partindo a arca, Moisés dizia: Levanta-te, Senhor, e dissipados sejam os teus inimigos, e fujam diante de ti os que te odeiam. E, quando pousava, dizia: Volta, ó Senhor, para os milhares de milhares de Israel* (Números 10:35,36).

Quando a arca partia, Moisés dizia: *Levanta-te, ó Deus!*, e, quando ela pousava, ele dizia: *Volta, ó Senhor!*, porque a arca representava a presença de Deus, que estava entre os querubins, como ele mesmo dissera a Moisés. Vemos também que em 1Samuel 4:21,22, quando os filisteus tomaram a arca, dizia-se em Israel: *Icabode! De Israel se foi a glória!*

A fim de entendermos melhor a figura apresentada nos versículos anteriormente mencionados, que indicam a arca como uma figura da presença divina, temos de recordar que, ao instruir Moisés sobre a construção da arca e seu propiciatório (que era uma espécie de tampa), o Senhor lhe disse: *ali virei a ti* (Êxodo 25:22). Portanto, a arca era o lugar onde a presença divina se manifestava.

Se a arca representava a presença de Deus no meio dos homens, então ela é uma figura ou símbolo de Jesus! Lembre-se que, no Novo Testamento, é ele que é chamado de *Emanuel, que traduzido é: Deus conosco* (Mateus 1:23). E sobre ele escreveu João, o Apóstolo do Amor, dizendo: *E o Verbo se fez carne e habitou entre nós, cheio de graça e de verdade, e vimos a sua glória, glória como do unigênito do Pai.* [...] *Ninguém jamais viu a Deus; o Deus unigênito, que está no seio do Pai, é quem o revelou* (João 1:14,18).

A arca, portanto, é uma figura de Cristo, da presença de Deus no meio dos homens. Ela era um objeto composto de dois materiais distintos: madeira e ouro. Na verdade, era madeira revestida de ouro. Na tipologia bíblica, em especial no tabernáculo de Moisés, a madeira simboliza a humanidade, enquanto o ouro simboliza a glória ou a divindade. Logo, a figura da madeira revestida de ouro – que fala de humanidade e divindade – aponta para aquele que tem o mesmo papel que a arca tinha na antiga aliança: a presença de Deus entre os homens.

O MANÁ ESCONDIDO

Logo que o maná foi enviado por Deus ao povo de Israel, Moisés, por ordem divina (Êxodo 16:34), orientou Arão a guardar uma porção dele dentro da arca da aliança: *Disse também Moisés a Arão: Toma um vaso, mete nele um gômer cheio de maná e coloca-o diante do SENHOR, para guardar-se às vossas gerações* (Êxodo 16:33), fato confirmado na Epístola aos Hebreus 9:4.

Depois que compreendermos essas figuras, entenderemos melhor o que Paulo disse aos colossenses: *em quem* [Cristo] *todos os tesouros da sabedoria e do conhecimento estão ocultos* (Colossenses 2:3).

Veja bem: assim como o maná encontrava-se escondido dentro da arca da aliança, assim também estão escondidos em Cristo todos os tesouros da sabedoria e da ciência! A arca é uma figura de Cristo, e o maná, da Palavra de Deus. O maná encontrava-se escondido dentro da arca do mesmo modo que os tesouros da sabedoria e da ciência – os mistérios do reino, a Palavra de Deus – estão escondidos em Cristo!

É importante ressaltarmos o termo "escondido". O maná não estava apenas *guardado* na arca, mas *escondido*! A arca não tinha janela nem vitrine. Ela era um baú de madeira, revestido de ouro, coberto pela tampa de ouro maciço do propiciatório, sobre o qual estavam os querubins. O que se colocava dentro dela não podia ser visto por ninguém. Essa é a razão de Jesus dizer à igreja de Pérgamo: *ao que vencer lhe darei do maná escondido* (Apocalipse 2:17).

Se olhássemos superficialmente para a arca, não teríamos como ver o maná escondido, a não ser que fizéssemos um exame mais cuidadoso, abrindo-a para examinar o seu conteúdo. Da mesma maneira, se você tiver um contato apenas superficial com Cristo, jamais descobrirá os tesouros da sabedoria e da ciência! Você jamais poderá conhecer os mistérios do reino!

Do mesmo modo que, com uma olhada de maneira superficial para a arca, não encontraríamos o maná, assim também um contato distante com Cristo jamais nos revelará os seus tesouros escondidos!

Infelizmente, essa é a realidade da maioria dos cristãos que, servindo a Jesus durante anos e anos, jamais chegam a experimentar desse maná escondido. Talvez eles pensem que isso é para ser desfrutado somente no céu, por causa da promessa de Jesus ao anjo da igreja de Pérgamo. Entretanto, o que Jesus de fato disse é que, quando os vencedores chegassem no céu, eles *continuariam* a desfrutar do maná escondido, pois é impossível chegarmos a desfrutar da plenitude desses tesouros em Cristo ainda nesta vida! Eles são inesgotáveis!

Esses tesouros escondidos são os mesmos segredos de Deus que Davi mencionou no Salmo 25:14. Todas as vezes em que você pegar a sua Bíblia para lê-la, estudá-la e meditar nela, lembre-se de que há tesouros escondidos que jamais se tornarão conhecidos através de um mero exame superficial. Entenda, no entanto, que, ao falar sobre buscarmos esses tesouros de uma maneira mais profunda, não estou me referindo meramente a um estudo ou pesquisa, embora devamos praticar isso com a maior dedicação possível. Refiro-me a recebermos do céu, pelo Espírito Santo, as verdades de Deus, ou seja, a experimentarmos o conhecimento por revelação!

O RELACIONAMENTO COM A PALAVRA

O maná é uma figura da Palavra, mas também do próprio Cristo, pois ele é chamado, nas Escrituras Sagradas, de "o Verbo". O apóstolo João inicia seu Evangelho identificando o Senhor Jesus dessa forma:

> *No princípio era o Verbo, e o Verbo estava com Deus, e o Verbo era Deus. Ele estava no princípio com Deus. Todas as coisas FORAM FEITAS POR INTERMÉDIO DELE, e, sem ele, nada do que foi feito se fez. [...] E o Verbo se fez carne e habitou entre nós, cheio de graça e de verdade, e vimos a sua glória, glória como do unigênito do Pai* (João 1:1-3,14 – grifo do autor).

Observe que há uma relação, apresentada na passagem anterior, entre Jesus como o Verbo, a Palavra, e a criação: *todas as coisas foram feitas por intermédio dele, e, sem ele, nada do que foi feito se fez.* Porque João fez essa relação? Na verdade, essa relação entre a Palavra de Deus e a criação está em toda a Bíblia. Começa em Gênesis, quando as Escrituras enfatizam: *Disse Deus: Haja luz; e houve luz* (Gênesis 1:3). E depois se estende até o Novo Testamento, onde há muita ênfase sobre a relação entre a pessoa de Cristo e a Palavra:

>   *Este é a imagem do Deus invisível, o primogênito de toda a criação; pois, NELE, FORAM CRIADAS TODAS AS COISAS, nos céus e sobre a terra, as visíveis e as invisíveis, sejam tronos, sejam soberanias, quer principados, quer potestades. TUDO FOI CRIADO POR MEIO DELE e para ele. Ele é antes de todas as coisas. Nele, tudo subsiste* (Colossenses 1:15-17 – grifo do autor).

>   *Havendo Deus, outrora, falado, muitas vezes e de muitas maneiras, aos pais, pelos profetas, nestes últimos dias, nos falou pelo Filho, a quem constituiu herdeiro de todas as coisas, PELO QUAL TAMBÉM FEZ O UNIVERSO. Ele, que é o resplendor da glória e a expressão exata do seu Ser, sustentando todas as COISAS PELA PALAVRA DO SEU PODER, depois de ter feito a purificação dos pecados, assentou-se à direita da majestade, nas alturas* (Hebreus 1:1-3 – grifo do autor).

Cristo é a própria Palavra! Observe em suas próprias palavras esta afirmação:

>   *Em verdade, em verdade vos digo: quem crê em mim tem a vida eterna. Eu sou O PÃO DA VIDA. Vossos pais comeram o MANÁ no deserto e morreram. Este é O PÃO QUE DESCE DO CÉU, para que todo o que dele comer não pereça. Eu sou o pão vivo que desceu do céu; se alguém dele comer, viverá eternamente; e o pão que eu darei pela vida do mundo é a minha carne* (João 6:47-51 – grifo do autor).

Feita essa relação entre a pessoa de Jesus e a Palavra, passemos à centralidade de Cristo nas Escrituras e ao que na teologia denominamos de "convergência bíblica": *Examinai as Escrituras, porque julgais ter nelas a vida eterna, E SÃO ELAS MESMAS QUE TESTIFICAM DE MIM* (João 5:39 – grifo do autor).

Cristo é a Palavra, e a Palavra revela Cristo. É simples assim! Ou podemos usar a definição de J. I. Packer: "Jesus considerava-se a chave para as Escrituras, e estas, a chave para ele próprio".

Contudo, o problema de nossa geração é que as pessoas alegam querer conhecer Cristo, mas não entendem, ou não querem entender, que não há como conhecê-lo íntima e profundamente, a não ser pela sua Palavra!

O rei Davi, o mesmo que queria "estudar" Deus (Salmos 27:4), como detalhamos no capítulo anterior, amava e desejava intensamente a Palavra de Deus. Não considero coincidência que aquele que foi chamado de "o homem segundo coração de Deus", justamente por ansiar conhecê-lo, amasse conhecer a Palavra através da qual Deus decidiu se revelar. Veja essa declaração de Davi:

> A lei do SENHOR é perfeita e restaura a alma; o testemunho do SENHOR é fiel e dá sabedoria aos símplices. Os preceitos do SENHOR são retos e alegram o coração; o mandamento do SENHOR é puro e ilumina os olhos. O temor do SENHOR é límpido e permanece para sempre; os juízos do SENHOR são verdadeiros e todos igualmente, justos. São mais desejáveis do que ouro, mais do que muito ouro depurado; e são mais doces do que o mel e o destilar dos favos. Além disso, por eles se admoesta o teu servo; em os guardar, há grande recompensa (Salmos 19:7-11).

No Novo Testamento, não é diferente. As Escrituras continuam sendo exaltadas quando Paulo, pelo Espírito Santo, declara aos colossenses: *Habite ricamente em vós a Palavra de Cristo* (Colossenses 3:16). Mas nós temos negligenciado a Palavra de Deus! Não lemos, não conhecemos, não meditamos e, portanto, acabamos não vivendo ou praticando a Palavra.

Agora vamos refletir juntos: se essa é uma ordem divina (encher-se da Palavra), que nós escolhemos negligenciar, e se sabemos que o não cumprimento da ordem de Deus é pecado, então como classificar o nosso não envolvimento com as Escrituras?

É pecado!

Certa ocasião, ouvi alguém dizer que o que a igreja mais precisa em nossos dias não é de avivamento, mas de "abibliamento". Precisamos voltar à Palavra! Celebramos, em 2017, quinhentos anos de Reforma Protestante e talvez nunca estivemos tão próximos de precisar voltar a dizer *sola Scriptura*.

Queremos ter a comunhão e a paixão que os homens de Deus, envolvidos nas histórias de avivamento do passado, tiveram. A questão é que, aparentemente, não queremos o mesmo envolvimento que eles tinham com a Palavra de Deus.

Permita-me concluir este capítulo e também o desafio de valorizarmos a Palavra de Deus (como forma de conhecermos melhor a Cristo) com algumas frases de alguns desses homens, usados por Deus no passado, que refletem o seu amor, respeito e dedicação pelas Escrituras Sagradas.

Agostinho: "Nossa fé é alimentada pelo que está claro nas Escrituras e testada pelo que é obscuro".

Martinho Lutero: "Minha consciência é escrava da Palavra de Deus".

João Calvino: "A Bíblia é o cetro pelo qual o Rei celestial governa sua igreja".

John Wesley: "Todo o conhecimento que você deseja ter está em um único livro: a Bíblia. Quero conhecer uma coisa: o caminho para o céu [...]. O próprio Deus dignou-se a ensinar o caminho [...]. Ele o escreveu em um livro. Oh, dá-me esse livro! A qualquer preço, dá-me o livro de Deus!"

George Müller: "O vigor de nossa vida espiritual está na proporção exata do lugar que a Bíblia ocupa em nossa vida e em nossos pensamentos. A maneira como estudamos essa Palavra é uma questão da mais profunda importância. A parte mais cedo do dia que nos for disponível deve ser dedicada à meditação nas Escrituras. Devemos alimentar nosso homem interior na Palavra".

Charles Spurgeon: "O apetite da Palavra de Deus aumenta naqueles que se alimentam dela. Por que você lê tanto a Bíblia? Porque não tenho tempo de ler mais".

D. L. Moody: "Ou este livro me afasta do pecado ou o pecado me afastará deste livro".

Smith Wigglesworth: "Encha seu coração e sua mente com a Palavra de Deus. Você precisa estar ensopado com a Palavra de Deus, tão cheio dela que você mesmo seja uma carta viva, conhecida e lida por todos os homens. Os crentes são fortes apenas quando a Palavra de Deus habita neles".

A. W. Tozer: "Nunca vi um cristão útil que não fosse estudante da Bíblia".

John Flavel: "As Escrituras ensinam-nos a melhor maneira de viver, a mais nobre forma de sofrer e o modo mais confortável de morrer".

Resumindo: se queremos conhecer melhor a Cristo e descobrir os tesouros da sabedoria e da ciência que nele se encontram, precisamos nos envolver com a Palavra de Deus num nível muito mais profundo do que o que alcançamos até agora. Que o Senhor nos ajude a despertar e a recomeçar nessa área!

CAPÍTULO 8

Manancial ou cisterna?

> *Não há nada que diga a verdade a nosso respeito como cristãos tanto quanto nossa vida de oração.*
> — MARTYN LLOYD-JONES

Tive o privilégio de nascer e crescer num lar cristão. Aprendi, desde criança, a importância de cultivar um tempo devocional com Deus. Tanto por preceitos como pelo exemplo dos meus pais, eu soube que devemos cultivar esse momento diário de busca, a sós com o Senhor.

Quero falar, neste capítulo, acerca de outro elemento essencial ao relacionamento com Deus que também abrange o nosso envolvimento com as Escrituras Sagradas que abordei anteriormente. Trata-se da *busca diária*. Trata-se de algo óbvio e ao mesmo tempo ignorado ou, no mínimo, negligenciado. Comecemos pela palavra profética liberada por Jeremias: *Porque dois males cometeu o meu povo: a mim me deixaram, o manancial de águas vivas, e cavaram cisternas, cisternas rotas, que não retêm as águas* (Jeremias 2:13).

Nos dias em que Deus liberou essa palavra por meio do profeta Jeremias, não havia água encanada e o povo dependia dos *mananciais* para a sua sobrevivência. Contudo, tanto pela falta de mananciais (que não eram encontrados em qualquer lugar) como pelo comodismo de não precisarem buscar água todos os dias, as pessoas passaram a usar *cisternas*.

A cisterna era um reservatório de águas das chuvas, e era muito prática, uma vez que, pelo fato de armazenar água, ela evitava o esforço da caminhada diária em busca de uma fonte. Temos muitos exemplos bíblicos de pessoas indo a poços ou fontes (às vezes bem distantes) para buscar água. Entre esses episódios descritos na Bíblia, podemos destacar o encontro de Jacó com Raquel (Gênesis 29:1-10) e o encontro de Jesus com a mulher samaritana junto à fonte de Jacó (João 4:5-14). Essa era uma realidade comum a todos os povos da Antiguidade, razão pela qual Deus escolheu justamente essa figura para ilustrar a verdade espiritual que o seu povo tanto necessitava ouvir e entender.

Qualquer um sabe que há uma diferença na qualidade da água proveniente de uma fonte e a que foi tirada de uma cisterna. Mas o enfoque dado por Deus nesse texto não é a qualidade da água, e sim o fato de que, espiritualmente falando, no paralelo estabelecido por Deus, as cisternas não funcionam.

O Senhor chamou de *rotas* as cisternas que o seu povo vinha cavando, enfatizando que elas não podiam armazenar água. Estamos falando da diferença entre beber da *fonte* ou de um *reservatório*. Portanto, nessa comparação que o Senhor fez, a conclusão é uma só: quem bebe da fonte tem a água, ao passo que quem tenta fazer uso do reservatório acaba ficando sem ela!

Muitos de nós achamos que é possível "driblar" o princípio da busca diária e tentamos "encher os nossos reservatórios" nos cultos semanais. Há pessoas que durante toda a semana não oram, não adoram, tampouco leem a Bíblia, mas acham que frequentar um culto é suficiente para mantê-las abastecidas. Foi exatamente sobre isso que o Senhor falou por intermédio do profeta Jeremias.

Por que preferimos encher as nossas cisternas, em vez de irmos diariamente à fonte? Talvez seja por mero comodismo, mas o fato é que temos falhado numa área vital do nosso relacionamento com o Pai celestial.

Ninguém sobrevive de estoques em sua vida espiritual. Não existe uma espécie de "crente camelo", que enche o tanque e suporta quarenta dias de caminhada no deserto! Entretanto, muitos de nós agimos como se isso fizesse parte da nossa realidade.

Erramos em não buscar a renovação diária em Deus. Como declarou Smith Wigglesworth, o apóstolo da fé: "Se há algo que desagrada a Deus é a estagnação". Creio que essa é uma área importantíssima a ser consertada em nossa vida. Não há nada que nos leve a ficar mais próximos de Deus do que o nosso relacionamento diário.

Essa ideia de beber da fonte é usada por Deus em toda a Bíblia. Creio que isso serve para cultivar em nós uma mentalidade correta com relação ao nosso relacionamento com ele.

Respondeu-lhe Jesus: Se tivesses conhecido o dom de Deus e quem é o que te diz: Dá-me de beber, tu lhe terias pedido e ele te haveria dado água viva. [...] Replicou-lhe Jesus: Todo o que beber desta água tornará a ter sede; mas aquele que beber da água que eu lhe der se fará nele uma fonte de água que jorre para a vida eterna. (João 4:10,13,14).

Ora, no último dia, o grande dia da festa, Jesus pôs-se em pé e clamou, dizendo: Se alguém tem sede, venha a mim e beba. Quem crê em mim, como diz a Escritura, do seu interior correrão rios de água viva (João 7:37,38).

Pois o cordeiro que se encontra no meio do trono os apascentará e os guiará para as fontes da água da vida. E Deus lhes enxugará dos olhos toda lágrima (Apocalipse 7:17).

O Espírito e a noiva dizem: Vem! Aquele que ouve, diga: Vem! Aquele que tem sede venha, e quem quiser receba de graça a água da vida (Apocalipse 22:17).

A fonte não somente retrata o nosso relacionamento diário com Deus, a nossa busca contínua, mas também exprime a ideia de que não é necessário estocarmos ou armazenarmos água, e que podemos dar preferência à água fresca. Decida hoje mesmo a investir em seu relacionamento diário com o Senhor e a fazer disso a sua fonte de águas vivas. Não se deixe levar pelo desejo de cavar para você mesmo uma cisterna rota que não retém as águas.

Chegar ao ponto crucial da busca ao Senhor, onde nada mais importa, envolve tanto a intensidade como a frequência. Não pode haver, em nosso relacionamento com Deus, somente um desses elementos. Tem gente tentando viver a intensidade da busca sem a frequência. E tem gente tentando viver a frequência sem a intensidade. Se não combinarmos essas duas características em nossa busca, ela se tornará incompleta e não cumprirá o seu propósito.

Quando o Novo Testamento retrata a maneira pela qual a igreja reagiu à visitação do Espírito Santo em seus dias, ele destaca o aspecto da relação diária com o Senhor:

DIARIAMENTE perseveravam unânimes no templo, partiam pão de casa em casa e tomavam as suas refeições com alegria e singeleza de coração, louvando a Deus e contando com a simpatia de todo o povo. Enquanto isso, acrescentava-lhes o Senhor, dia a dia, os que iam sendo salvos (Atos 2:46,47 – grifo do autor).

E TODOS OS DIAS, no templo e de casa em casa, não cessavam de ensinar e de pregar Jesus, o Cristo (Atos 5:42 – grifo do autor).

É tempo de voltarmos a essa dimensão de vida cristã e ministerial: avivamento diário!

A BUSCA DIÁRIA

Deus espera que o busquemos todos os dias. Isso me parece bem claro na oração-modelo que Jesus nos ensinou: *O pão nosso de cada dia nos dá hoje* (Mateus 6:11).

O Senhor Jesus ensinou que devemos nos colocar diante do nosso Pai celestial e buscar a sua provisão *diariamente*. Ele destaca o pão de *cada dia*, ou, conforme uma outra versão bíblica, o pão *cotidiano*, e nos ensina a pedir que Deus nos dê esse pão hoje. Portanto, esse é um padrão de busca para cada dia de nossa vida.

E quanto ao dia seguinte? Devemos voltar a buscar o Senhor a cada novo dia. Assim diz Mateus 6:34: *Portanto não vos inquieteis com o dia de amanhã, pois o amanhã trará os seus cuidados; basta ao dia o seu próprio mal.*

Quando o Senhor Jesus nos ensinou a depender de Deus para a nossa provisão, ele não quis dizer que deveríamos simplesmente ficar sentados e esperar. Ao contrário, percebemos que o caminho bíblico proposto é o de irmos ao Senhor em oração diariamente. E o próprio texto sagrado sugere que as respostas divinas às nossas orações são liberadas em "cotas diárias".

Há uma relação entre esse ensino do Senhor Jesus e o que aconteceu nos dias de Moisés com relação ao maná, o pão do céu. Vemos que, depois que a nação de Israel deixou o Egito e saiu pelo deserto em direção a Canaã, eles se encontraram em grandes dificuldades para obter o seu próprio alimento, uma vez que, em viagem, não tinham tempo nem condições de plantar e colher. O resultado foi o envio da provisão divina e diária do maná:

> *Então o SENHOR disse a Moisés: eis que vos farei chover do céu pão, e o povo sairá, e colherá DIARIAMENTE a porção para cada dia, para que eu ponha à prova se anda na minha lei ou não* (Êxodo 16:4 – grifo do autor).

A cada novo dia, os israelitas tinham que se levantar em busca do pão. Deus queria que fosse exatamente assim:

> *Disse-lhes Moisés: Ninguém deixe dele para a manhã seguinte. Eles, porém, não deram ouvidos a Moisés, e alguns deixaram do maná para o dia seguinte; porém deu bichos e cheirava mal. E Moisés se indignou contra eles. Colhiam-no, pois, manhã após manhã, cada um quanto podia comer; porque, em vindo o calor, se derretia* (Êxodo 16:19-21).

O que temos aqui não é apenas uma lição de dependência, mas inclui também os parâmetros divinos segundo os quais o povo deveria relacionar-se com o Senhor. Aparentemente, era isso o que acontecia no jardim do Éden, onde Deus visitava os seus filhos diariamente (Gênesis 3:8).

Observe a desobediência deliberada e imediata dos israelitas. O Senhor claramente os advertiu de não estocar o maná para o dia seguinte. Ele prometeu uma nova porção a cada novo dia. Ainda assim, eles lhe desobedeceram e tentaram fazer reservas para o dia seguinte. Por quê? Para não terem que se preocupar em buscar o maná todo dia. Isso é comodismo. Eu, particularmente, prefiro fazer uma boa compra no supermercado a ter que ir, todos os dias, buscar a cota de alimento que só sirva para aquele dia. Mas só faço essa opção porque ela não me foi proibida por Deus.

A verdade é que, semelhantemente ao erro que, no futuro, a nação de Israel haveria de cometer – trocando o manancial de águas vivas por cisternas rotas –, vemos essa geração que saiu do Egito optando pelo caminho mais fácil e, com isso, falhando em algo fundamental. E o triste é que ainda hoje, como povo de Deus, estamos repetindo o mesmo erro.

Dando continuidade à ideia de uma vida cristã que se vive dia após dia, repare que Jesus falou sobre uma atitude de renúncia que precisa estar presente na vida de seus seguidores e que deve ser renovada a cada novo dia: *Dizia a todos: Se alguém quer vir após mim, negue-se a si mesmo, tome* CADA DIA *a sua cruz e siga-me* (Lucas 9:23, TB – grifo do autor).

Através do profeta Isaías, Deus condenou a forma errada com que o povo jejuava e o buscava em seus dias. Apesar da motivação errada e dos tropeços cometidos na carnalidade deles, a Bíblia revela que, pelo menos, eles estavam fazendo corretamente uma coisa: a busca diária.

> *Mesmo neste estado, ainda me procuram* DIA A DIA, *têm prazer em saber os meus caminhos; como povo que pratica a justiça e não deixa o direito do seu Deus, perguntam-me pelos direitos da justiça, têm prazer em se chegar a Deus, dizendo: Por que jejuamos nós, e tu não atentas para isso? Por que afligimos a nossa alma, e tu não o levas em conta? Eis que, no dia em que jejuais, cuidais dos vossos próprios interesses e exigis que se faça todo o vosso trabalho* (Isaías 58:2,3 – grifo do autor).

A versão Almeida Revista e Corrigida optou nesse texto pela tradução *cada dia*. Portanto, mais uma vez se evidencia que o plano de Deus para o nosso relacionamento com ele envolve a busca diária. Temos, porém, uma inclinação a errarmos justamente aí. Basta observarmos o que ocorreu com os israelitas no deserto: mesmo sendo advertidos de não colherem mais do que a porção diária do maná, alguns deles tentaram fazê-lo.

Repito: a razão de agirem assim foi puro comodismo, para que não tivessem de levantar cedo e ter o mesmo trabalho no dia seguinte, uma vez que, quando o sol se levantava, o maná se derretia.

A humanidade vive procurando atalhos para todas as coisas. Como diminuir o serviço e tornar tudo mais cômodo parece ser uma das áreas em que mais vemos progressos e avanços tecnológicos. A ideia é simplificar tudo o que for possível. As crianças de hoje só usam fraldas descartáveis; temos o *freezer*, o micro-ondas, a embalagem longa vida, o telefone celular e uma infinidade de outras coisas que foram inventadas em nome da praticidade. E não estou reclamando. Eu, como a maioria, gosto disso. O problema, no entanto, é que temos transferido essa ideia para o nosso relacionamento com Deus. E isso tem acontecido desde o início da humanidade.

Os israelitas demonstraram que tinham esse mesmo tipo de pensamento, ao achar que poderiam "driblar" a regra da busca diária. E nós também, milhares de anos depois, continuamos presos a essa mesma forma de pensamento.

Não há como trabalhar com estoques no que diz respeito à presença de Deus. Devemos buscá-lo a cada novo dia. O que experimentamos dele num dia não elimina a necessidade de continuar a buscá-lo no dia seguinte. Como registrou o profeta Jeremias, falando da misericórdia do Senhor, elas renovam-se cada manhã (Lamentações 3:23). Não que ela tenha prazo de validade. As "cotas" do que Deus nos disponibiliza é que são liberadas diariamente para que sempre voltemos à fonte.

Há uma renovação diária não só das misericórdias divinas, mas do nosso ser interior. Paulo declarou aos coríntios: ... *mesmo que o nosso homem exterior se corrompa, contudo, o nosso homem interior se renova de dia em dia* (2Coríntios 4:16). E essa renovação é automática? Não! Ela só é alcançada ao buscarmos o Senhor. Smith Wigglesworth declarou: "O lugar da santa comunhão está aberto para todos nós. Há um lugar onde podemos ser renovados diariamente, recebendo novo poder".

Tempo aos pés do Senhor

Muitas vezes tentamos agradar a Deus apenas com o nosso trabalho, porém é mais importante para ele que nos assentemos aos seus pés para termos comunhão com ele e crescer espiritualmente. O nosso serviço é importante, não se pode negar, mas estar com o Senhor, investindo tempo em sua presença, é muito mais importante. Além disso, depois de um tempo de comunhão com ele, o nosso serviço torna-se muito mais eficaz.

Observe um episódio bíblico que Deus fez questão de registrar para o nosso ensino:

> Ora, quando iam de caminho, entrou Jesus numa aldeia; e certa mulher, por nome Marta, o recebeu em sua casa. Tinha esta uma irmã chamada Maria, a qual, sentando-se aos pés do Senhor, ouvia a sua palavra. Marta, porém, andava preocupada com muito serviço; e aproximando-se, disse: Senhor, não se te dá que minha irmã me tenha deixado servir sozinha? Dize-lhe, pois, que me ajude. Respondeu-lhe o Senhor: Marta, Marta, estás ansiosa e perturbada com muitas coisas; entretanto poucas são necessárias, ou mesmo uma só; e Maria escolheu a boa parte, a qual não lhe será tirada (Lucas 10:38-42).

Enquanto Marta corria com os afazeres domésticos, Maria estava aos pés do Senhor. Todos conhecemos essa história e o que o Senhor ensinou com base no ocorrido. Entretanto, parece-me que muitos de nós nada fazemos para evitar que a mesma situação continue se repetindo.

Às vezes só conseguimos pensar nos compromissos diários, na agenda cheia, em como fazer tudo o que nos aguarda. Preocupamo-nos com coisas que não merecem tanto a nossa atenção. Deixamos que o "urgente" tome o lugar do "importante" e acabamos invertendo as prioridades.

Sei muito bem do que estou falando não só pelo convívio com outras pessoas, mas por mim mesmo. Sou, por natureza, agitado e não gosto de ficar parado. Se eu deixar as coisas caminharem conforme o meu jeito natural de ser, eu não paro um instante. Sou mais parecido com Marta. No entanto, entendi que na vida com Deus as coisas são diferentes. Aprendi desde o início da minha caminhada com o Senhor que a chave de tudo é o tempo investido em nosso relacionamento com o Pai. Muito embora, por temperamento, eu seja uma pessoa mais parecida com Marta, por princípio bíblico tenho forçado o meu comportamento a ajustar-se ao de Maria. É claro que, às vezes, tenho as minhas recaídas. Mas luto comigo mesmo, pois quero o melhor de Deus!

Ninguém tem o direito de desculpar-se, dizendo: "Este é o meu jeito de ser!" Se Deus nos fizesse de modo diferente uns dos outros, dando a uns melhores condições de buscá-lo do que a outros, então ele estaria sendo injusto com muitos de nós. Ele estaria praticamente escolhendo antecipadamente quem poderia agradá-lo. Mas isso não é verdade.

Buscá-lo diariamente não é uma mera questão de temperamento, e sim de *comportamento*. Precisamos aprender as prioridades corretas para crescer espiritualmente. A falta de tempo com Deus é um dos maiores obstáculos ao crescimento espiritual dos cristãos.

Costumamos permanecer tão cegos em nosso comportamento errado que, às vezes, tentamos convencer até mesmo Deus de que estamos certos. Marta foi pedir a Jesus que ele fizesse com que Maria se levantasse e a ajudasse, e ela estava certa de que Jesus agiria de uma forma justa, mas não esperava que naquela situação a errada fosse ela mesma. Ela tentou convencer até o próprio Jesus do valor e da importância da sua "correria".

De modo semelhante, muitas vezes estamos errados e tentamos convencer a nós mesmos (e aos outros) do contrário. Contudo, as palavras de Jesus são muito fortes e contundentes: *poucas coisas são necessárias, ou mesmo uma só.*

O que ele estava querendo dizer a Marta? Que, de toda a nossa correria, poucas coisas são realmente uma necessidade. Muito do que julgamos ser necessário, na verdade, não é. Por exemplo, observe o nosso consumismo e veja como criamos "necessidades". Fazemos o mesmo na administração da nossa agenda diária. Assimilamos muitas coisas que poderiam esperar, como se o mundo fosse acabar em dois dias. E o resultado não é somente um estresse, mas também a falta de poder espiritual.

A presença de Deus é um refrigério, e devemos cultivá-la com dedicação. *O Senhor Jesus declarou: poucas coisas são necessárias, ou mesmo uma só.* Creio que com essa frase, na verdade, ele estava dizendo: "Pode enxugar sua agenda, porque os seus compromissos, na maioria, não são tão importantes assim. E se você tiver que escolher uma única coisa para fazer, então fique na minha presença!"

Não estou dizendo a ninguém para parar de trabalhar. Estou falando principalmente de coisas que não precisam necessariamente ser feitas na hora em que as fazemos. Por exemplo, muitos de nós "precisamos" assistir ao noticiário todos os dias. Será que precisamos mesmo? Muitos de nós achamos "necessário" nos divertir com um bom filme ou seriado quase todo dia. Mas será que não podemos ter um intervalo maior de dias entre um entretenimento e outro? *Porque poucas coisas são necessárias...*

Você pode questionar-se sobre o nível de importância de muitas coisas que faz, mas o fato é que, se você tivesse que escolher uma única atividade em seu dia, por ser a mais importante ou a única que verdadeiramente pudesse ser chamada de necessidade, essa atividade deveria ser a sua permanência aos pés do Senhor.

CAPÍTULO 9

Voltando à fonte

> *Quem não faz da oração um importante fator em sua vida,*
> *é fraco na obra de Deus e impotente para projetar a causa de*
> *Deus ao mundo.*
> — E. M. BOUNDS

Em janeiro de 1995, tive uma experiência inesquecível – seguida de um aprendizado muito marcante. Eu estava no ministério pastoral havia um ano e alguns meses e tirando minhas primeiras férias. Estive no ministério itinerante por quase três anos antes de assumir o pastorado em uma igreja local.

Um dos compromissos que assumi com a liderança de nossa igreja, junto com o restante de nossa equipe pastoral, é que aceitaria e respeitaria a norma já estabelecida pela igreja de tirar um mês de férias a cada ano corrido, embora, vale dizer, na época (e tenho pena de mim quando recordo isso), eu achasse desnecessário tirar férias. Eu ainda era solteiro e muito novo; estava com apenas 22 anos de idade nessa ocasião.

Acabei aceitando tirar três períodos de dez dias, para não me ausentar muito do rebanho, e decidi que aquelas férias seriam só da rotina de trabalho na igreja local, e não do ministério. Então agendei compromissos de pregação em várias igrejas de pastores amigos, a maioria no litoral de Santa Catarina. A escolha do local foi estratégica porque, na minha opinião, é lá que estão as melhores praias do sul do país. Convidei outros dois amigos, também solteiros, a me acompanharem na viagem. Disse a eles que nos divertiríamos de dia e à noite serviríamos às igrejas daquela região.

Meu plano parecia fantástico. Eu era jovem demais para conseguir valorizar o descanso. Lembro-me de que, quando cheguei em uma daquelas cidades litorâneas, já fui avisando ao pastor amigo que nos hospedou a maior parte daqueles dias: "Desta vez não espere que eu fique trancado no quarto orando a maior parte do dia. Estou de férias com os amigos e vamos para a praia todos os dias. Já estou sacrificando as minhas noites de férias para servi-los; então, por favor, não me exija mais do que isso". Ele não apenas concordou comigo, como disse achar muito justo.

Seguimos com o plano a cada dia daquele período, valorizando as praias, os passeios e toda diversão que conseguimos incluir. Durante as noites, vivemos o melhor daqueles dias. A glória de Deus se manifestou; a Palavra fluía e tocava as pessoas de maneira impactante; provamos do mover do Espírito, curas e manifestações dos dons. Algumas dessas igrejas eram ligadas. Então, à medida que havia testemunhos das intervenções de Deus, alguns irmãos das igrejas das cidades vizinhas começaram a frequentar as outras reuniões também, o que fez com que a frequência aumentasse a cada dia.

Tudo seguiu bem por oito dias. No nono dia, fomos à praia e passamos o dia todo "desfrutando das nossas férias". Ao final da tarde, lembro-me de que o pastor nos chamou para voltar para a casa dele, onde só teríamos tempo de nos banhar e nos vestir adequadamente para o culto. De repente, ao sair de dentro da água, comecei a passar mal. Era uma dor de cabeça sem igual; não me lembro de ter sentido algo assim antes nem depois daquele dia. Além da dor e de um mal-estar físico em todo o corpo, algo pareceu acometer meu estado emocional e, subitamente, a alegria e o prazer de viver pareciam ter desaparecido. Queria orar contra aquilo, mas não conseguia. Penso que essa foi a pior parte do que experimentei naquele dia. Era uma desconexão com Deus e o céu como nunca eu havia provado. Meu mundo deixou de ser "colorido" e ficou "preto e branco" em fração de segundos!

Quando entramos no carro, eu desmaiei. Meus amigos acharam que eu apenas tinha caído no sono. Recobrei a consciência quando estávamos chegando na casa do pastor e, além do mal-estar completo (em meu espírito, alma e corpo), eu estava apavorado com aquilo tudo que estava acontecendo. Principalmente por não fazer ideia do que se passava.

Ao entrar no quarto em que estava hospedado, simplesmente me lancei na cama, sem tomar banho ou mesmo trocar de roupa. Eu não gostaria que alguém, hospedado em minha casa, por mais amigo que fosse, se jogasse na cama ainda sujo de areia e com sal no corpo e na roupa, mas foi o que fiz.

Enquanto todo mundo corria para se arrumar em tempo recorde, eu mal conseguia me mexer naquela cama. Era uma sensação de morte muito forte. Parecia que, inexplicavelmente, minha vida estava acabando de uma hora para outra. Nunca senti nada assim antes nem depois daquela ocasião.

Recordo-me que o pastor entrou em nosso quarto para nos apressar, de modo que não nos atrasássemos para a reunião, e, surpreso, me encontrou naquele estado.

– Você ainda não se arrumou? – perguntou ele, quase indignado. E emendou: – Nós vamos acabar atrasando!

Eu respondi de pronto:

– Não, eu não vou me atrasar. Porque atrasar significa chegar à igreja depois do horário do início da reunião.

Então acrescentei a frase que gerou nele uma cara de espanto, quase de desespero:

– Eu não tenho condições de ir a lugar nenhum. Não consigo sequer me levantar desta cama para tomar banho!

Ainda me recordo do final daquela conversa. Seria cômico se não houvesse uma pitada de tragédia em meu estado.

– E o que eu digo para toda aquela gente que estará lá esperando que você ore por cura?

Eu respondi de forma curta e direta:

– Diga que o ministro de cura não pode comparecer porque ficou doente!

Ele saiu do quarto meio atordoado, e os dois colegas que me acompanhavam naquela viagem foram saindo junto com ele. Protestei:

– Estou quase morrendo e vocês vão me deixar sozinho aqui? Na hora de desfrutar dos bons momentos, vocês foram parceiros e agora, quando mais preciso de ajuda, simplesmente se vão? Fiquem aqui e orem comigo!

Eles decidiram ficar e orar por mim, o que fizeram fervorosamente. Clamaram ao Senhor em meu favor por muito tempo, embora eu não saiba precisar exatamente quanto tempo foi. Sei que na primeira meia hora, aproximadamente, eu não sentia nada. Meu coração estava empedernido. Eu não conseguia orar com eles, tampouco acreditar que algo poderia acontecer. Parecia que toda a minha fé simplesmente tinha ido embora quando saí daquela praia! Mas eles persistiram e batalharam em oração até que, em algum momento, algo aconteceu. Parecia que alguém derramava sobre mim algo semelhante ao mel, não consigo explicar. Era como se, falando em termos de consistência, um grande pote de mel estivesse sendo derramado sobre o meu corpo. Era grosso e denso, não como um líquido qualquer e tampouco como óleo. Eu não via nada em meu corpo, mas sentia aquilo sendo derramado de forma muito nítida. De repente, a glória de Deus me envolveu!

Dei um pulo daquela cama e, em fração de segundos, eu estava novamente me sentindo bem no meu corpo, em minhas emoções e no meu espírito. Meu mundo voltou a ficar "colorido", e eu fui cheio do Espírito Santo. Se por um lado o que até então eu sentia era singularmente trágico, por outro, o que experimentei depois foi singularmente glorioso!

Minha primeira reação, quando percebi minha completa restauração, foi pensar: "Vou correr para tomar um banho, me arrumar e ir para a igreja. Mesmo que não dê tempo de pregar, ainda posso orar pelos enfermos no final...". E, nessa hora, para a minha grande surpresa, o Espírito Santo falou em meu coração: "Você não vai a lugar algum! O que você precisa agora é entender o que aconteceu e o porquê disso tudo". E foi nesse momento que os meus olhos se abriram para entender a exposição bíblica que reproduzo a seguir.

O DESGASTE DA BATALHA

Super-herói espiritual não existe, pois todos nos cansamos; temos limites. A razão pela qual o Senhor instituiu o descanso é que precisamos dele. Embora inicialmente apresentemos relativa dificuldade para aceitar, o tempo e a experiência nos mostram que este é um fato: a cada um de nós sobrevirá aquele momento de desgaste, principalmente após as batalhas e ministrações a outras pessoas. Mesmo quando ministramos no poder do Espírito, nos cansamos. Não sentimos isso enquanto estamos sob a unção, mas, quando ela se vai, é aí que percebemos quão limitados somos.

A Bíblia fala acerca de como Elias, depois de sair de um dos mais espetaculares cenários de avivamento, quando viu descer fogo do céu sobre o sacrifício e a nação cair de joelhos gritando "Só o Senhor é Deus", fugiu de Jezabel e escondeu-se numa caverna, pediu para si a morte. O que houve com o profeta? Ele vivenciou o que classifico como "ressaca ministerial".

Embora a primeira ideia sobre ressaca seja a de alguém que está sofrendo do abuso do álcool, há outros conceitos englobados nessa palavra. Podemos falar da "ressaca muscular" de quem abusou dos exercícios no dia anterior, ou do mar agitado como consequência do mau tempo. Em todos esses exemplos, encontramos uma consequência de algum tipo de exagero ocorrido. Foi o que eu experimentei naquele dia, quando passei tão mal na praia, e detalharei melhor o ocorrido depois de falar sobre outro texto bíblico acerca disso.

Há um exemplo nas Escrituras que se enquadra perfeitamente nesse contexto do desgaste da batalha, da ressaca ministerial. É o caso de Sansão. Observe o que ocorreu com ele numa ocasião em que experimentou uma poderosa manifestação de Deus:

> *Quando ele chegou a Leí, os filisteus lhe saíram ao encontro, jubilando. Então o Espírito do SENHOR se apossou dele, e as cordas que lhe ligavam os braços se tornaram como fios de linho que estão queimados do fogo, e as suas amarraduras se desfizeram das suas mãos. E achou uma queixada fresca de jumenta e, estendendo a mão, tomou-a e com ela matou mil homens. Disse Sansão: Com a queixada de um jumento, montões e mais montões! Sim, com a queixada de um jumento matei mil homens. E acabando ele de falar, lançou da sua mão a queixada, e chamou-se aquele lugar Ramá-Leí* (Juízes 15:14-17).

É importante lembrar que Sansão não possuía nenhuma força descomunal, a não ser quando o Espírito de Deus se apossava dele; salvo essas ocasiões, era um homem normal. Depois de ter sido usado poderosamente pelo Senhor, a unção se retirou dele, mas deixou um saldo de grande desgaste. Ou seja, aquela força que havia se manifestado não era dele, mas o corpo, sim; portanto, quando a força se foi, restou o cansaço.

Seria muita ingenuidade de nossa parte supor que jamais poderíamos experimentar o mesmo. Muitas vezes, depois de vencermos o inimigo externo, descobrimos que não podemos lidar com a nossa própria limitação! Foi o que ocorreu com o juiz israelita:

> *Depois, como tivesse grande sede, clamou ao SENHOR, e disse: Pela mão do teu servo tu deste este grande livramento; e agora morrerei eu de sede, e cairei nas mãos destes incircuncisos? Então o SENHOR abriu a fonte que está em Leí, e dela saiu água; e Sansão, tendo bebido, recobrou alento, e reviveu; pelo que a fonte ficou sendo chamada En-Hacore, a qual está em Leí até o dia de hoje* (Juízes 15:18,19).

O corpo de Sansão quase sucumbiu, pois o esforço de matar (e empilhar e contar) aqueles mil homens foi muito grande. A Bíblia diz que o desgaste foi tamanho que ele quase morreu de sede. Veja bem, podemos extrair uma outra lição do ocorrido. Existem dois níveis de unção: a externa e a interna.

A unção externa é aquela em que o Espírito Santo vem *sobre* nós; esse tipo de unção nos leva a fazer alguma coisa para Deus. Jesus disse: *O Espírito do Senhor está sobre mim, pelo que me ungiu para...*, e então segue-se uma lista das coisas que essa unção sobre ele o levaria a fazer para Deus (Lucas 4:18). A unção interna é aquela em que o Espírito Santo flui *em* nós, do lado de dentro; esse tipo de unção está relacionado com o que Deus faz por nós. O apóstolo João escreveu em sua epístola acerca da unção que recebemos do Espírito Santo, que permanece *em nós* e nos ensina todas as coisas (1João 2:27).

Em suma: com um tipo de unção, fazemos algo para Deus; com outro, Deus é que faz para nós. Sansão descobriu que experimentar somente a unção externa, e vencer o inimigo, não é suficiente, pois, para vencer o desgaste resultante da batalha (a sede que quase o matou), é preciso uma fonte; e isso fala da unção interior que refrigera.

A Fonte do Que Clama

A fonte que Deus abriu ganhou um nome: *En-Hacore*, que significa "a fonte do que clama", pois foi em oração que Sansão a alcançou.

Certa ocasião, enquanto eu estava meditando nesse texto bíblico, ocorreu-me que Deus não abriu a fonte para Sansão apenas porque ele necessitava disso. Esse juiz de Israel estava a ponto de morrer de sede, mas não foi sua necessidade que gerou a intervenção divina. Foi o seu clamor!

Semelhantemente, cada um de nós também precisa dessa fonte, que só pode ser experimentada mediante a oração. Somente essa fonte pode nos proporcionar refrigério e descanso quando nos encontramos cansados da batalha.

E o que essa fonte simboliza?

Sabemos que ela é ativada pela oração, e não pela necessidade. Mas o que, exatamente, é ativado quando oramos?

Um dos símbolos do Espírito Santo, na Bíblia, é o de uma fonte:

> *Ora, no último dia, o grande dia da festa, Jesus pôs-se em pé e clamou, dizendo: Se alguém tem sede, venha a mim e beba. Quem crê em mim, como diz a Escritura, do seu interior correrão rios de água viva. Ora, isto ele disse a respeito do Espírito que haviam de receber os que nele cressem; pois o Espírito ainda não fora dado, porque Jesus ainda não tinha sido glorificado* (João 7:37-39).

Somos convidados por Jesus a beber de uma fonte que sacia a nossa sede. Essa fonte é o bendito Espírito Santo. Observe o detalhe apresentado por Jesus: essa fonte "flui do nosso interior". Não é nada mais, nada menos, que a unção interior. Deus abriu aquela fonte em Leí porque Sansão orou; e a abrirá em nossa vida quando orarmos. E digo mais: Jesus falou sobre um saciar da sede bebendo de um rio que jorra do íntimo de cada um de nós. A Bíblia diz que a água flui do nosso interior; e eu pergunto: por onde jorra? Por nossos lábios, quando oramos...

O que entendi, naquele dia em que havia passado tão mal naquela praia, foi que negligenciei a fonte. Passei oito dias pregando, orando com as pessoas, movendo-me nos dons do Espírito Santo e, nesse tempo, a unção externa fluiu livremente. Experimentei, à semelhança de Sansão, o poder divino fluindo de mim contra um inimigo espiritual. Pessoas foram salvas, libertas e curadas. Lares foram restaurados. Corações foram despertados e fortalecidos no Senhor. Porém, enquanto eu lutava com forças que não eram minhas, só havia um meio de prevenir o grande desgaste que senti depois: bebendo da fonte. Mas minha tentativa de conciliar férias (com direito a aproveitar bem o dia inteiro) com as ministrações me manteve distante da oração.

Oração não é algo opcional. É uma questão de sobrevivência! Então por que a maioria de nós não parece levar a sério a vida de oração?

Apenas saber que orar é importante, necessário, fundamental, não resolverá o problema gerado por nossa omissão. Acredito que isso só tem um remédio: a paixão pelo Senhor. A fascinação por sua presença, a realização que encontramos somente nos encontros com ele, deveria ser o nosso combustível para correr à fonte todos os dias.

Não estou falando de gastar menos tempo trabalhando para ver se conseguimos ter mais tempo para orar. A vida de oração, além de nos poupar do desgaste da batalha, aumentará a nossa produtividade. Estou falando de fazer mais para Deus em menos tempo que o normal, depois de garantir nosso tempo com ele. George Müller, homem de grandes realizações, declarou: "Um crente pode fazer mais em quatro horas, depois de empregar uma em orar, que cinco sem orar".

AFIANDO O MACHADO

A falta de tempo a sós com Deus impede que o sirvamos melhor. Atualmente há até mesmo muitos ministérios que estão sendo formados de maneira errada. Eles são ensinados apenas a fazer, fazer e fazer, mas é somente depois de investirmos tempo com o Senhor que aumentamos o proveito do nosso serviço. Veja este princípio bíblico: *Se estiver embotado o ferro, e não se afiar o corte, então se deve pôr mais força; mas a sabedoria é proveitosa para dar prosperidade* (Eclesiastes 10:10).

Quando o rei Salomão foi inspirado pelo Espírito Santo a escrever essas palavras, ele não nos deixou apenas um princípio natural, mas também, paralelamente, estabeleceu um fundamento espiritual.

Assim como a sabedoria de afiar o corte do machado para rachar lenhas torna o trabalho mais eficaz, também há recursos espirituais que tornam o nosso andar com Deus mais frutífero. Se o machado do lenhador se encontra embotado, sem corte, ele tem de exercer muito mais força e energia em seu trabalho, consumindo assim mais do seu tempo. Mas, ao investir uma parte do seu tempo afiando o corte do machado, no fim ele economiza tempo e energia. A partir do momento em que a ferramenta adquire um corte melhor, será o corte que determinará o resultado, e não a força do golpe na lenha. Resumindo: se tentarmos economizar o tempo que usaríamos para a manutenção da ferramenta, acabaremos perdendo mais tempo ainda no trabalho que executamos. O povo de Deus precisa aprender urgentemente essa lição!

O que precisamos aprender e provar na prática é que o tempo gasto com Deus é o machado sendo afiado. Se economizarmos nessa prática, perderemos muito mais tempo e energia depois e não conseguiremos fazer o serviço tão bem. D. L. Moody, um dos grandes evangelistas da história da Igreja, afirmou: "Nesta era de correria e incessantes atividades, precisamos de algum chamado especial para nos retirarmos e nos colocarmos a sós com Deus por um tempo, todos os dias".

A correria gerada principalmente pelo crescimento do ministério pode tornar-se um dos maiores inimigos do próprio ministério. No livro de Atos, vemos que o crescimento da igreja trouxe consigo alguns problemas: *Ora, naqueles dias, multiplicando-se o número dos discípulos, houve murmuração dos helenistas contra os hebreus, porque as viúvas deles estavam sendo esquecidas na distribuição diária* (Atos 6:1).

Era tanta gente se convertendo, chegando à igreja, que alguns passaram a ser literalmente esquecidos; afinal era gente demais para cuidar. Os apóstolos decidiram resolver não apenas a necessidade de atendimento a todos, mas também a necessidade de eles mesmos voltarem ao que nunca poderiam ter negligenciado: sua vida de oração.

> *Então, os doze convocaram a comunidade dos discípulos e disseram: Não é razoável que nós abandonemos a palavra de Deus para servir às mesas. Mas, irmãos, escolhei dentre vós sete homens de boa reputação, cheios do Espírito e de sabedoria, aos quais encarregaremos deste serviço; e, quanto a nós, nos consagraremos à oração e ao ministério da palavra* (Atos 6:2-4).

Nada deve nos afastar de nossa fonte!

O nosso relacionamento diário com Deus determina não só o sucesso, como a sobrevivência do nosso ministério, portanto ele jamais deve ser negligenciado.

Quando a ideia de que há muito para fazer me incomoda, pois sei que isso me rouba do meu tempo com Deus, procuro lembrar-me de que cada minuto investido na presença do Senhor significará menos esforço e mais eficiência no trabalho do ministério depois. Afiar o machado é algo estratégico, sábio, que traz prosperidade no trabalho. Da mesma forma, o tempo com Deus não significa uma falta de produtividade, e sim um aumento da nossa capacidade produtiva.

Um modelo a ser seguido

Jesus é nosso referencial em tudo. Não só em seu caráter, como também em suas obras. Suas escolhas e comportamentos refletem princípios que devem ser seguidos. E uma característica de Cristo que recebe destaque nas Escrituras é a sua vida de oração. Porém, antes de dar ênfase à sua vida de oração, quero mostrar algo importante.

Nós recebemos, por meio dos Evangelhos, detalhes que comprovam a humanidade de Jesus, que ele viveu como homem aqui na terra. Lemos que nosso Senhor se cansou (João 4:6), teve fome (Mateus 4:2; 21:18), sentiu sede (João 19:28), tinha necessidade de dormir (Mateus 8:24) e até mesmo que ele chorou (João 11:35). A maioria dessas informações tem apenas uma menção e nem sequer recebem uma descrição detalhada. Também vale ressaltar que a maioria delas tem apenas um versículo que nos comunica aquele aspecto da humanidade de Cristo.

Dito isso, pergunto: e a vida de oração de Jesus? Nesse assunto, não encontramos apenas um ou dois versículos, mas vários! Não temos apenas uma *menção*, mas o que podemos classificar como *descrição*, porque isso envolve detalhes. E ainda podemos afirmar que temos não só a descrição de episódios variados, como também encontramos material suficiente que define um *estilo de vida*. O mestre cultivava uma vida de oração exemplar, digna de ser imitada!

Destaco, a seguir, vários versículos que comprovam esse fato. Sugiro que você não apenas passe os olhos, numa leitura corrida e superficial, mas que medite, reflita e analise cuidadosamente os detalhes dos textos bíblicos.

> *Quando todo o povo estava sendo batizado, também Jesus o foi. E, enquanto ele ESTAVA ORANDO, o céu se abriu e o Espírito Santo desceu sobre ele em forma corpórea, como pomba...* (Lucas 3:21,22 – grifo do autor).

Jesus só começou seu ministério aos 30 anos de idade, ocasião em que foi batizado nas águas e revestido do poder do Espírito Santo. Logo a seguir, passados os quarenta dias de jejum e oração no deserto, quando foi tentado pelo diabo, podemos dizer que seu ministério não apenas teve início, mas "explodiu"! Cristo passou a atrair as multidões e entrou numa dimensão de exposição pública fora do comum:

> Ao pôr do sol, o povo trouxe a Jesus todos os que tinham vários tipos de doenças; e ele os curou, impondo as mãos sobre cada um deles. Além disso, de muitas pessoas saíam demônios gritando: Tu és o Filho de Deus! Ele, porém, os repreendia e não permitia que falassem, porque sabiam que ele era o Cristo. Ao romper do dia, JESUS FOI PARA UM LUGAR SOLITÁRIO. As multidões o procuravam, e, quando chegaram até onde ele estava, insistiram que não as deixasse (Lucas 4:40-42).

Quero chamar sua atenção para algo nesse texto. Justamente quando o ministério de Jesus estava "bombando", quando ele teria tudo para, à semelhança de muitos de nós, alegar que já não teria tempo para orar, é que o vemos afastar-se da multidão, do agito do sucesso ministerial, para um local solitário.

Qual seria, exatamente, a necessidade de Jesus se retirar? O que ele teria ido fazer nesse local? Por que Cristo precisaria ficar a sós? O evangelho de Marcos é que nos fornece essa resposta, dando esse detalhe quando fala do mesmo episódio:

> De madrugada, quando ainda estava escuro, Jesus levantou-se, saiu de casa e foi para um LUGAR DESERTO- ONDE FICOU ORANDO (Marcos 1:35 – grifo do autor).

Uau! É impressionante a atitude do mestre e contrastante com quanto acabamos destoando do nosso referencial. Normalmente, o crescimento ministerial se transforma em desculpa para que oremos menos (eu, pelo menos, já usei essa desculpa e a ouvi de muitos outros ministros amigos). Mas com Cristo era diferente. Observe:

> Todavia, as notícias a respeito dele se espalhavam ainda mais, de forma que multidões vinham para ouvi-lo e para serem curadas de suas doenças. Mas JESUS RETIRAVA- SE PARA LUGARES SOLITÁRIOS, E ORAVA (Lucas 5:15,16 – grifo do autor).

Oração era parte da vida de relacionamento que o Filho cultivava com o Pai.

> Num daqueles dias, Jesus saiu para o monte a fim de orar, e passou a noite orando a Deus (Lucas 6:12).

Qual foi a última vez em que você passou uma noite inteira orando a Deus? Ou mesmo o dia inteiro? Se Jesus – que era Jesus – sentia necessidade disso, a pergunta a ser feita é: "E nós?" Não podemos sequer cogitar a ideia de que não precisamos de oração!

Por várias vezes, encontraremos o destaque bíblico dos lugares privados que nosso Senhor Jesus Cristo costumava frequentar a fim de orar.

> Certa vez Jesus estava ORANDO EM PARTICULAR, e com ele estavam os seus discípulos; então lhes perguntou: Quem as multidões dizem que eu sou? (Lucas 9:18 – grifo do autor).

> Aproximadamente oito dias depois de dizer essas coisas, Jesus tomou consigo a Pedro, João e Tiago e SUBIU A UM MONTE PARA ORAR. ENQUANTO ORAVA, a aparência de seu rosto se transformou, e suas roupas ficaram alvas e resplandecentes como o brilho de um relâmpago (Lucas 9:28,29 – grifo do autor).

> Certo dia Jesus ESTAVA ORANDO EM DETERMINADO LUGAR. Tendo terminado, um dos seus discípulos lhe disse: Senhor, ensina-nos a orar, como João ensinou aos discípulos dele (Lucas 11:1 – grifo do autor).

O maior ensino de Jesus sobre a oração não é o da Oração-modelo, ou da assim chamada Oração do Pai-Nosso. Sua própria vida de oração, seu exemplo, foi a maior escola que os apóstolos tiveram. Eles somente lhe pediram que lhes ensinasse a orar porque, mais do que uma instrução dada aos seus discípulos, essa era a prática de Jesus, seu estilo de vida.

> Chegando ao lugar, ele lhes disse: Orem para que vocês não caiam em tentação. Ele se afastou deles a uma pequena distância, ajoelhou-se e começou a orar (Lucas 22:40,41, NVI).

O PRAZER DE ORAR

Que nosso coração se inspire a seguir nosso modelo em tudo, inclusive na vida de oração. É hora de voltar à fonte! Porém, como estou afirmando desde o primeiro capítulo, que possamos descobrir mais do que a responsabilidade (ou mesmo a obrigação) de orar. Que possamos encontrar o prazer de orar!

Cabe citar as palavras introdutórias de Mike Bickle, em seu livro *Crescendo em oração*. Ele é o fundador do IHOP-KC (Casa Internacional de Oração, em Kansas City), que já funciona ininterruptamente há cerca de dezenove anos.

> A oração é um sublime chamado e um surpreendente privilégio. No entanto, muitos a veem como um *pesado dever*. Por quê? A oração pode ser uma

luta feroz. Eu conheço esta luta e a experimento frequentemente. Em meus primeiros anos, a oração foi especialmente difícil.

O meu amigo Larry Lea me encorajou, declarando que, quando persistimos na oração, a nossa vida de oração progride de dever para disciplina e para prazer. Muito tempo atrás, decidi que eu saberia o que significava ter prazer na oração. Não tinha certeza como isso aconteceria, mas ferozmente resolvi descobrir.

Pela graça de Deus, *funcionou*. Tenho tido prazer na oração há muitos anos e tenho recebido respostas a inúmeras e incalculáveis orações. Não estou dizendo que a oração nunca é uma luta para mim hoje, e sim que agora sei a maneira de passar pelos tempos de resistência e dificuldades para que a oração prazerosa que traz resultados verdadeiros seja a norma.

Isaías profetizou que o Senhor *alegraria os seus servos em sua Casa de Oração* (Isaías 56:7). Aqui Isaías referiu-se a um novo paradigma para a oração: a oração caracterizada pela alegria. É o que gosto de chamar de *oração prazerosa*. O Senhor deseja que a igreja seja surpreendida pela alegria de comunicar-se com ele.

A oração prazerosa é a oração que refrigera a nossa alma e revigora o nosso espírito. Imagine como a oração pode ser prazerosa! Vamos querer nos envolver nela continuamente. Por outro lado, se não for prazerosa, oraremos somente intermitentemente – ou não oraremos absolutamente nada.

> *Como é precioso o teu amor, ó Deus! Os homens encontram refúgio à sombra das tuas asas. Eles se banqueteiam na fartura da tua casa; tu lhes dás de beber do teu rio de delícias. Pois em ti está a fonte da vida; graças à tua luz, vemos a luz.* (Salmos 36:7-9, NVI).

Precisamos voltar à fonte. No reino de Deus, a maneira como começamos não é tão importante como a forma com que terminamos. Muitos de nós já começamos voando baixo, feito um avião decolando na pista, mas, à medida que o tempo passa, deixamos a fonte e paramos de nos relacionar com Deus como deveríamos. Entramos na rotina, no comodismo. E Deus tem trazido ao meu coração muito peso a esse respeito.

Devemos fazer da comunhão com Deus e da oração o ponto de onde devem começar todas as coisas. Algum tempo atrás, numa reunião com os pastores, falei a eles da expectativa do meu coração de quanto eu acreditava ser o mínimo de tempo que deveríamos dedicar à oração todos os dias. "É impossível, com tudo o que o senhor já nos comissionou a fazer, orarmos por esse período", eles me disseram. "O nosso problema é que tentamos colocar a oração por último na nossa agenda", tive de reconhecer.

Paulo diz a Timóteo: *Antes de tudo, pois, exorto que se use a prática de súplicas, orações, intercessões, ações de graças, em favor de todos os homens* (1Timóteo 2:1).

Na verdade, deveríamos começar pela oração e só depois dedicar-nos ao resto. É como com a entrega do dízimo. Se não colocamos o dízimo logo no início da lista do orçamento, a tendência é negligenciar a entrega dele.

Quem diz "Se der, depois eu oro", provavelmente não vai fazer isso. A oração deve ser o ponto de partida. Deus está nos chamando. Em vez de trocarmos o manancial pelas cisternas, temos de abandonar as cisternas rotas. Como vimos, usar a cisterna não funciona. No reino de Deus, precisamos beber da fonte, e beber todos os dias.

Vamos corresponder e agir com Deus da forma apropriada.

CAPÍTULO 10

Vivendo de aparência

O crescimento espiritual consiste mais no crescimento da raiz que está fora do alcance da visão.
— MATTHEW HENRY

A religiosidade – que defino como a valorização da forma, da aparência – tem, em nome do zelo, roubado a essência da relação com Deus, que deveria ser honesta e sincera. O formalismo frio de um culto sem coração desagrada profundamente a Deus. Essa verdade nos é claramente apresentada pelo próprio Senhor Jesus, ao citar, e aplicar para os seus dias, a profecia de Isaías:

> *Ele respondeu: Bem profetizou Isaías acerca de vocês, hipócritas; como está escrito: Este povo me honra com os lábios, mas o seu coração está longe de mim. Em vão me adoram; seus ensinamentos não passam de regras ensinadas por homens. Vocês negligenciam os mandamentos de Deus e se apegam às tradições dos homens. E disse-lhes: Vocês estão sempre encontrando uma boa maneira de pôr de lado os mandamentos de Deus, a fim de obedecerem às suas tradições!* (Marcos 7:6-9, NVI).

Cristo denunciou uma atitude dos religiosos de sua época que consistia em manter uma aparência de devoção sem que ela, de fato, existisse no coração. Ele condenou o culto exterior que é desprovido do transbordar de uma paixão interior. É evidente, na afirmação do mestre, que o anseio divino pelo coração do homem se aproximando dele é o mais importante.

Ouvi, há muitos anos, uma declaração que me fez parar e pensar. Certo casal teve uma séria discussão por conta da seguinte situação: a esposa, depois de o marido acompanhá-la numa compra de supermercado (atividade que a maioria dos homens parece não apreciar tanto), disse a ele que preferia que ele nunca mais a acompanhasse.

O cônjuge, indignado, protestava:

– Faz anos que essa mulher pede que eu a acompanhe para fazer as compras. Eu detesto isso! Mas hoje resolvi agradá-la e fui com ela; entretanto, agora ela está dizendo que não quer mais que eu vá com ela ao supermercado. Quem entende isso?

A esposa, muito calma, retrucou:

– Eu nunca quis que você fosse comigo ao supermercado.

A essa altura da conversa, o marido explodiu:

– Como não? Eu tenho testemunhas de quantas vezes você disse que queria que eu fosse com você às compras!

A mulher, mantendo a mesma tranquilidade, respondeu:

– Eu nunca quis que fosse ao supermercado. O que eu queria *é que você quisesse ir*! – E acrescentou: – Para ir com a cara emburrada do jeito que você foi, reclamando do tempo e me apressando o tempo todo, prefiro que nunca mais vá! Obviamente estava estampado na sua cara sua falta de vontade de estar lá comigo. Para ir desse jeito, eu realmente prefiro que você não mais me acompanhe ao supermercado.

Como não dar razão àquela esposa?

Ela tinha o desejo de esperar que o marido se agradasse em fazer aquilo. Não queria obrigá-lo a fazer algo do qual era visível seu desinteresse.

Enquanto refletia nesse episódio, pareceu-me ouvir certo sussurro do Espírito Santo em meu coração: "Eu também não quero apenas que você me busque. Eu desejo que você *queira* me buscar".

Vejo algo semelhante no protesto divino: *Este povo me honra com os lábios, mas o seu coração está longe de mim*. O culto de lábios é mais do que aceito; é esperado. Desde que seja um transbordar de um coração inclinado ao Senhor.

Não podemos inverter as coisas e deduzir que o culto de lábios não seja importante. O Pai celeste espera que ofereçamos sempre, ininterruptamente, esse culto verbal: *Por meio de Jesus, portanto, ofereçamos continuamente a Deus um sacrifício de louvor, que é fruto de lábios que confessam o seu nome* (Hebreus 13:15, NVI).

O problema não está nos lábios que adoram a Deus, e sim quando isso deixa de ser um transbordar do coração. Jesus disse que a boca fala do que está cheio o coração (Mateus 12:34). Mas, nessa adoração que o profeta Isaías classificou como inútil, a boca está fazendo um esforço para declarar aquilo que o coração não está dizendo. Trata-se de mera encenação!

UM PROBLEMA ANTIGO

Vamos refletir um pouco mais nesse tipo de comportamento. Muita gente aprende a reproduzir um comportamento de piedade que é puro teatro. Deus não quer essa encenação; ele quer nosso coração! A atitude errada de viver tentando manter a aparência tem roubado o ser humano do melhor de Deus. E não é de hoje. A humanidade tem a tendência de maquiar e esconder os pecados, bem como fingir espiritualidade, desde o início da sua existência. Foi o que Adão e Eva fizeram ao pecar:

> *Os olhos dos dois se abriram, e perceberam que estavam nus; então juntaram folhas de figueira para cobrir-se. Ouvindo o homem e sua mulher os passos do* SENHOR *Deus que andava pelo jardim quando soprava a brisa do dia, esconderam-se da presença do* SENHOR *Deus entre as árvores do jardim. Mas o* SENHOR *Deus chamou o homem, perguntando: Onde está você? E ele respondeu: Ouvi teus passos no jardim e fiquei com medo, porque estava nu; por isso me escondi* (Gênesis 3:7-10).

Ao perceber sua condição de nudez, o primeiro casal teve, como imediata reação, a tentativa de cobrir-se com folhas de figueira e depois de esconder-se. Antes de focarem no conserto a ser feito com Deus, Adão e Eva se mostraram primeiramente preocupados com a sua própria imagem. A questão da aparência tem sido um problema *desde o início* da humanidade. E há profecias bíblicas de que isso continuará *até o fim*:

> *Saiba disto: nos últimos dias sobrevirão tempos terríveis. Os homens serão egoístas, avarentos, presunçosos, arrogantes, blasfemos, desobedientes aos pais, ingratos, ímpios, sem amor pela família, irreconciliáveis, caluniadores, sem domínio próprio, cruéis, inimigos do bem, traidores, precipitados, soberbos, mais amantes dos prazeres do que amigos de Deus, tendo* APARÊNCIA DE PIEDADE, *mas negando o seu poder. Afaste-se também destes* (2Timóteo 3:1-5, NVI – grifo do autor).

As Escrituras afirmam que nos últimos dias os homens terão aparência de piedade, mas negarão o seu poder (a sua essência). A deterioração humana será enorme! Ainda que esses homens não se classifiquem como amigos de Deus, eles tentarão manter a aparência de piedade. A vida deles será totalmente contraditória à Palavra de Deus (penso que negar o poder divino é, basicamente, negar a transformação), mas ainda tentarão preservar a aparência de piedade. Isso é trágico!

Falei, nos capítulos anteriores, que o Senhor quer nosso desejo de buscá-lo, e não apenas a *performance* da busca em si. Às vezes trocamos a busca pela aparência dela; substituímos o desejo sincero da presença de Deus por uma busca fundada somente na aparência, que só tem a única motivação de levar as pessoas a criarem uma imagem melhor de nós e de nossa espiritualidade.

Ainda recordo-me claramente de algo ridículo que fiz aos quinze anos de idade. Eu tinha recebido o batismo no Espírito Santo havia pouco tempo, e meu zelo para buscar o Senhor havia sido profundamente despertado. Não nego, de forma alguma, o real anelo por Deus que meu coração sentia naquele tempo. O problema é que, junto com esse zelo, havia também uma preocupação exagerada com a opinião dos outros a meu respeito. Até então eu quase não lia a Bíblia (ainda que meus pais me obrigassem as leituras ocasionais), mas depois dessa experiência com Deus eu queria "comer" a Palavra. O fato é que eu havia, na ocasião, acabado de comprar uma Bíblia nova e fiquei com vergonha pelo fato de ela estar tão "limpinha", sem aquelas marcações, destaques ou anotações comuns de quem estuda as Escrituras. Pensei: "Quem vir essa Bíblia nesse estado vai achar que eu não leio" (embora essa fosse, então, a mais pura verdade). Então resolvi pintar alguns textos com um marcador amarelo para *parecer* que eu havia estudado as Escrituras (o que até então eu não tinha realmente feito). Minha lógica foi bem simplista; raciocinei assim: "Se o livro mais lido da Bíblia é o de Salmos, então vou começar por lá". O problema é que eu não estava realmente lendo; fui pintando distraído (acho que estava na frente da televisão ou envolvido em alguma outra distração) até que, quando me dei conta, eu havia terminado de pintar de amarelo todos os 150 salmos! A partir desse dia, eu tinha era vergonha de abrir a Bíblia no livro de Salmos; de tão amarelo, parecia mesmo uma lista telefônica (acho que a nova geração nem sabe o que é isso)!

O que leva alguém a agir assim?

Obviamente, é o anseio de ser visto pelos homens como alguém que busca a Deus, mesmo que não esteja buscando de fato. Muitas vezes, parece que o que queremos mais é impressionar as pessoas, em vez de nos dedicar a alcançar o coração de Deus. Essa é a razão pela qual Jesus confrontou tanto esse estilo de vida aparente.

JESUS CONFRONTA A VIDA APARENTE

O ser humano, como já afirmamos, é extremamente focado na aparência. Conforme vimos em Marcos 7:6,7, ele consegue louvar a Deus com um coração distante somente para manter a aparência de devoção, ainda que esta seja superficial, fingida ou até mesmo inexistente.

O livro de Atos, detalhando um momento importante da igreja em seu início, relata a história de Ananias e Safira, um casal que estava mais preocupado em que as pessoas o vissem dando uma grande oferta do que com a atitude correta de agradar e obedecer ao Deus a quem eles ofertavam (Atos 5:1-11). Um triste e lastimável fato que não se limita só à vida desse casal!

O Senhor Jesus nos instruiu em relação a isso, para que nos guardássemos de cair nesse tipo de armadilha:

> *Tenham o cuidado de não praticar suas obras de justiça diante dos outros para serem vistos por eles. Se fizerem isso, vocês não terão nenhuma recompensa do Pai celestial. Portanto, quando você der esmola, não anuncie isso com trombetas, como fazem os hipócritas nas sinagogas e nas ruas,* A FIM DE SEREM HONRADOS PELOS OUTROS. *Eu lhes garanto que eles já receberam sua plena recompensa. Mas quando você der esmola, que a sua mão esquerda não saiba o que está fazendo a direita, de forma que você preste a sua ajuda em segredo. E seu Pai, que vê o que é feito em segredo, o recompensará* (Mateus 6:1-4, NVI – grifo do autor).

Em outras palavras, o mestre advertia: "Não procure aparecer com o que você faz, senão sua recompensa se limitará a tão somente ser visto e reconhecido pelos homens. Haja discretamente, buscando agradar só a Deus e, assim, você guardará o seu coração de uma atitude errada, de uma vida aparente. E isso trará a recompensa divina a você!"

Observe que a intenção do ato de dar esmolas é claramente revelado na frase *a fim de serem honrados pelos outros*. E Cristo não falou acerca disso somente quando falava das esmolas, mas também ao ensinar sobre as orações e os jejuns:

> *E quando vocês orarem, não sejam como os hipócritas. Eles gostam de ficar orando em pé nas sinagogas e nas esquinas,* A FIM DE SEREM VISTOS PELOS OUTROS. *Eu lhes asseguro que eles já receberam sua plena recompensa. Mas quando você*

> *orar, vá para seu quarto, feche a porta e ore a seu Pai, que está em secreto. Então seu Pai, que vê em secreto, o recompensará* (Mateus 6:5, NVI – grifo do autor).
>
> *Quando jejuarem, não mostrem uma aparência triste como os hipócritas, pois eles mudam a aparência do rosto A FIM DE QUE OS OUTROS VEJAM que eles estão jejuando. Eu lhes digo verdadeiramente que eles já receberam sua plena recompensa. Ao jejuar, arrume o cabelo e lave o rosto, PARA QUE NÃO PAREÇA AOS OUTROS que você está jejuando, mas apenas a seu Pai, que vê em secreto. E seu Pai, que vê em secreto, o recompensará* (Mateus 6:16-18, NVI – grifo do autor).

Obviamente, Jesus não estava nos proibindo de compartilhar com alguém uma experiência de jejum. Até por que ele mesmo também fez isso; do contrário, como ficaria o fato de os Evangelhos nos contarem acerca de seu jejum de quarenta dias?

O erro não está no que fazemos e tampouco se contamos ou não aquilo que fazemos. A questão é o anseio de promover essa aparência de espiritualidade quando resolvemos anunciar aquilo que fazemos.

Nós valorizamos demais a casca, a embalagem. Mas a verdade é que a forma não é tão importante quanto a essência. Veja o que o apóstolo Paulo ensinou aos coríntios: *Mas temos esse tesouro em vasos de barro, para mostrar que este poder que a tudo excede provém de Deus, e não de nós* (2Coríntios 4:7, NVI).

A essência (o tesouro interior) é o que tem valor. A embalagem em que ela se encontra (o vaso de barro) não tem a mesma importância. Quem deve receber destaque é o Senhor e seu poder, não a gente!

Jesus não estava dizendo que nunca podemos ser vistos ou reparados pelos homens. Isso é inevitável. O que não podemos é desejar ser vistos ou esforçar-nos para estar em evidência. Isso deveria ser só uma consequência, um mero efeito colateral.

Eu sei que não há como ser um cristão genuíno e não ser notado. Cristo também ensinou sobre isso e, quando o fez, obviamente ele não estava se contradizendo. Observe o texto bíblico:

> *Vocês são o sal da terra. Mas se o sal perder o seu sabor, como restaurá-lo? Não servirá para nada, exceto para ser jogado fora e pisado pelos homens. Vocês são a luz do mundo. Não se pode esconder uma cidade construída sobre um monte. E, também, ninguém acende uma candeia e a coloca debaixo de uma vasilha. Ao contrário, coloca-a no lugar apropriado, e assim ilumina a todos os que estão na casa. Assim brilhe a luz de vocês diante dos homens, PARA QUE*

VEJAM AS SUAS BOAS OBRAS e glorifiquem ao Pai de vocês, que está nos céus (Mateus 5:13-16, NVI – grifo do autor).

Tanto o sal como a luz têm que cumprir o seu papel, e não há como fazer isso sem aparecer. Jesus ainda afirmou que, quando nossas obras *são vistas* pelos homens, Deus pode ser glorificado nisso. Não é errado ser visto. Errado é fazer somente para ser visto! Podemos e devemos ser sal e luz neste mundo. Entretanto, mesmo ao cumprir nossa responsabilidade de salgar e iluminar, não devemos agir pensando apenas na aparência, no reconhecimento.

Mas o fato é que Jesus, seja com os seus ensinos públicos, seja com a sua forma de vida ou mesmo com suas instruções aos discípulos, nunca entrou no esquema dos judeus. O mestre pregava contra a doutrina dos líderes deles: *Estejam atentos e tenham cuidado com o fermento dos fariseus e dos saduceus* (Mateus 16:6). Os discípulos chegaram a pensar que a conversa de Jesus era sobre pão literal, mas depois compreenderam: *Então entenderam que não estava lhes dizendo que tomassem cuidado com o fermento de pão, mas com o* ENSINO *dos fariseus e dos saduceus* (Mateus 16:12 – grifo do autor).

Podemos mensurar um pouco da importância dessa questão da vida aparente (e o dano que ela produz) ao observarmos quanto tempo e ensino Cristo empregou para combatê-la. Ele fazia isso repetidas vezes e de forma muito clara:

> *Então, Jesus disse à multidão e aos seus discípulos: Os mestres da lei e os fariseus se assentam na cadeira de Moisés. Obedeçam-lhes e façam tudo o que eles lhes dizem. Mas não façam o que eles fazem, pois não praticam o que pregam. Eles atam fardos pesados e os colocam sobre os ombros dos homens, mas eles mesmos não estão dispostos a levantar um só dedo para movê-los* (Mateus 23:1-4).

Precisamos entender o que Jesus falou sobre os fariseus e mestres da lei não praticarem o que pregavam. Os fariseus eram da seita mais rigorosa dentro do judaísmo. Dizimavam até mesmo a horta de casa, obedeciam aos mínimos preceitos da Lei. O apóstolo Paulo, referindo-se ao seu tempo de fariseu, afirma como ele vivia como judeu antes de sua conversão: *quanto à justiça que há na Lei, irrepreensível* (Filipenses 3:6). Eles eram conhecidos como, na versão da sua época, os verdadeiros beatos. Não eram o tipo de pessoas que classificaríamos como desobedientes deliberados.

Então qual era o problema deles? É que até mesmo sua obediência à Lei era mero pretexto por um anseio de reconhecimento!

Observe o que Jesus disse:

> Tudo o que fazem é PARA SEREM VISTOS pelos homens. Eles fazem seus filactérios bem largos e as franjas de suas vestes bem longas; gostam do lugar de honra nos banquetes e dos assentos mais importantes nas sinagogas, de serem saudados nas praças e de serem chamados rabis (Mateus 23:5-7).

Que afirmação forte! *Tudo o que fazem é para serem vistos pelos homens.*

Essa vida aparente se torna uma verdadeira anulação da obediência praticada. Os motivos errados corrompem até mesmo a prática da obediência.

Estou casado desde 1995. Eu amo a minha esposa cada dia mais e sei que ela me ama. Entretanto, se eu declarasse meu amor por minha esposa somente em público, e nunca quando estamos a sós, ela desconfiaria dos meus sentimentos. Ela me questionaria se eu realmente a amo ou se apenas quero fazer com que os outros pensem que a amo. Mas, infelizmente, essa parece ser, muitas vezes, a conduta da noiva de Cristo. Expressam amor nas reuniões públicas sem se importarem de fazer isso no âmbito pessoal. A quem estamos tentando agradar? Àquele que afirmamos amar ou ao público que assiste à nossa declaração de amor?

Esforçamo-nos muito para transparecer algo aos outros. A religiosidade (que defino como a prática de manter a aparência de piedade) é algo mais danoso do que podemos mensurar. Ela tem trazido grande estrago ao reino de Deus!

A RELIGIOSIDADE É PIOR QUE A IMORALIDADE

A religiosidade é algo tão perverso, tão espiritualmente venenoso, que, ao observar o ensino do Senhor Jesus, entendemos que ela pode ser pior até mesmo do que a imoralidade. Sim, é isso mesmo que estou afirmando. E por quê? Porque, diferentemente dos demais pecadores, o religioso, por sua aparência de piedade, é um pecador vacinado contra o arrependimento!

Lemos na Bíblia que a perversa cidade de Sodoma teria se aberto ao ministério de Jesus e sua pregação de arrependimento, enquanto os judeus de seus dias, não.

> *E você, Cafarnaum, será elevada até ao céu? Não, você descerá até o Hades! Se os milagres que em você foram realizados tivessem sido realizados em*

Sodoma, ela teria permanecido até hoje. Mas eu lhe afirmo que no dia do juízo haverá menor rigor para Sodoma do que para você (Mateus 11:23, NVI).

Cafarnaum, lugar onde Cristo operou tantos milagres, terá juízo mais rigoroso que Sodoma! Por quê? A explicação dada por Jesus é clara. Porque diante de milagres como os que Jesus operou, os piores pecadores de Sodoma tinham maior possibilidade de arrependimento. Pior do que um pecador (por mais terrível que seja) só mesmo um outro pecador que é vacinado contra o arrependimento. É isso que a religiosidade faz: bloqueia os pecadores contra o arrependimento. Ela promove um senso de justiça baseado na vida aparente que, por sua vez, o cega para a sua real condição espiritual.

Em outro momento, o Senhor Jesus afirmou que as prostitutas estão mais próximas do reino de Deus do que os religiosos dos seus dias.

> *E que vos parece? Um homem tinha dois filhos. Chegando-se ao primeiro, disse: Filho, vai hoje trabalhar na vinha. Ele respondeu. Sim, senhor, porém não foi. Dirigindo-se ao segundo, disse-lhe a mesma coisa. Mas este respondeu: Não quero; depois, arrependido, foi. Qual dos dois fez a vontade do pai? Disseram: O segundo. Declarou-lhes Jesus: Em verdade vos digo que publicanos e meretrizes vos precedem no reino de Deus. Porque João veio a vós outros no caminho da justiça, e não acreditastes nele; ao passo que publicanos e meretrizes creram. Vós, porém, mesmo vendo isto, não vos arrependestes, afinal, para acreditardes nele* (Mateus 21:28-32).

À semelhança dos fariseus dos dias de Jesus, nós pecamos hoje por nossa religiosidade. Aprendemos a falar e nos comportar com ares de bons cristãos e, com isso, encobrir nossa desobediência.

Dos dois filhos, quem demonstrou ser obediente? Aparentemente foi o primeiro, que respondeu afirmativamente ao chamado do pai. Porém, na prática, o filho obediente foi o segundo. Ainda que a princípio tenha se rebelado e dito que não faria o que o pai tinha pedido, depois, arrependido, foi e obedeceu. Jesus compara esses dois filhos a dois grupos de pessoas: os *fariseus* (o grupo religioso mais rigoroso dentro do judaísmo) e os *pecadores* (os coletores de impostos e prostitutas, que recebiam os piores rótulos sociais e espirituais naqueles dias). Jesus termina dizendo que o último grupo entraria no reino de Deus antes dos fariseus (os beatos e carolas da época).

Conclui-se, então, que de nada adianta passar horas sentado na igreja, ouvindo a Palavra de Deus, agindo como quem diz *sim* a tudo que nosso

Pai celestial nos pede, se depois não se faz o que ele nos ordenou. A aparência de obediência não está entre os pecadores; está entre os religiosos. Já a verdadeira obediência nem sempre está com eles!

A igreja de nossos dias tem se comportado de modo semelhante ao primeiro filho. Porque preocupa-se mais com a aparência e o conceito dado pelos outros, então sempre responde sim às ordens do Pai. Mas nem sempre faz aquilo que disse que faria! Não basta termos aparência de religiosidade; é preciso praticar a Palavra.

> *Tornai-vos, pois, praticantes da palavra, e não somente ouvintes, enganando-vos a vós mesmos. Porque, se alguém é ouvinte da palavra e não praticante, assemelha-se ao homem que contempla num espelho o seu rosto natural; pois a si mesmo se contempla e se retira, e para logo se esquece de como era a sua aparência. Mas aquele que considera atentamente na lei perfeita, lei da liberdade, e nela persevera, não sendo ouvinte negligente, mas operoso praticante, esse será bem-aventurado no que realizar* (Tiago 1:22-25).

Note que a Bíblia diz que aquele que não pratica a palavra engana *a si mesmo*. Essa pessoa não está enganando os outros, tampouco a Deus. Ela está enganando a si mesma! Muitos acreditam que, por demonstrarem aparência de piedade ao frequentar os cultos ou estudar a Bíblia sozinhos, alcançarão um lugar em Deus, mas isso não é verdade. A única coisa que legitima nossa entrada no reino de Deus é o reconhecimento do senhorio de Jesus; e este, por sua vez, só se evidencia por meio da obediência e sujeição *total* a Cristo.

Ouvir a Palavra de Deus parece autenticar a religiosidade de alguém, mas é a prática da Palavra que autentica a obediência na vida de um cristão. Há também o aspecto do resultado provado por cada um. Tiago fala do *ouvinte negligente* e do *operoso praticante*, mas deixa claro que o abençoado na história é aquele que persevera em obedecer aos mandamentos do Senhor que ouviu e aprendeu.

Na parábola de Jesus, compreendemos que o segundo filho, que a princípio rebela-se contra as ordens do Pai e depois arrepende-se de sua atitude e muda sua postura para a obediência, é quem agrada a Deus. Uau! Jesus comparou o primeiro filho com os religiosos de sua época e o segundo, com as prostitutas, o que me faz concluir que a religiosidade chega a ser pior do que a imoralidade. Não pela comparação da gravidade de um pecado (e suas consequências) sendo medido por outro, mas pelo fato de, como afirmei anteriormente, a religiosidade blindar o coração do pecador contra a necessidade de arrependimento.

Esse conceito vai se repetindo ao longo das Escrituras; é só observar como Deus liberou juízo sobre diferentes tipos de pecado. O *imoral* de Corinto foi expulso da igreja e entregue à destruição do corpo (1Coríntios 5:5), mas Ananias e Safira foram mortos (Atos 5:5)! A religiosidade desse casal da igreja em Jerusalém foi punida com rigor maior do que a imoralidade que alguém da igreja em Corinto cometeu. Isso é um fato!

Como afirmei antes, o problema do religioso é que ele não enxerga sua desobediência (pois é mascarada de obediência aparente) e está vacinado contra o arrependimento. Quem está no pecado, sabe que está errado e que tem de mudar, mas o problema do religioso é que, por sua aparência de piedade, ele se acha justo e perfeito. O mestre também ensinou sobre isso:

> *A alguns que confiavam em sua própria justiça e desprezavam os outros, Jesus contou esta parábola: Dois homens subiram ao templo para orar; um era fariseu e o outro, publicano. O fariseu, em pé, orava no íntimo: Deus, eu te agradeço porque não sou como os outros homens: ladrões, corruptos, adúlteros; nem mesmo como este publicano. Jejuo duas vezes por semana e dou o dízimo de tudo quanto ganho. Mas o publicano ficou a distância. Ele nem ousava olhar para o céu, mas batendo no peito, dizia: Deus, tem misericórdia de mim, que sou pecador. Eu lhes digo que este homem, e não o outro, foi para casa justificado diante de Deus. Pois quem se exalta será humilhado, e quem se humilha será exaltado* (Lucas 18:9-14, NVI).

Não quer dizer que todo pecador que não seja religioso vai se arrepender. Mas ele está menos resistente ao arrependimento por não se considerar justo. É claro que também há pecadores não religiosos que não querem se arrepender, mas entre esses você ainda vai encontrar muitos que não estão tão resistentes ao arrependimento. Um dos ladrões que foram crucificados ao lado de Jesus repreendeu o outro que insultava a Cristo: ...*Você não teme a Deus, nem estando sob a mesma sentença? Nós estamos sendo punidos com justiça, porque estamos recebendo o que os nossos atos merecem. Mas este homem não cometeu nenhum mal* (Lucas 23:40,41, NVI).

Penso que, dentre os problemas do religioso, do que cultiva essa vida aparente de devoção exterior sem paixão interior, estão duas coisas terrivelmente danosas à sua relação com Deus: a *justiça própria* e o *orgulho*.

Falando da justiça própria, podemos destacar que Jesus endereçou a parábola do fariseu e o publicano que subiram ao templo para orar aos que *confiavam em sua própria justiça* (Lucas 18:9). Não temos justiça própria; imaginar que isso seja possível é um grande engano! A Palavra de Deus afirma que *todos nós somos como o imundo, e todas as nossas justiças, como trapo da imundícia* (Isaías 64:6). Nossa justiça nos é imputada por meio de Cristo.

No que diz respeito ao orgulho, sabemos que Deus não quer que ninguém se glorie. Essa é uma das razões pelas quais a Bíblia diz que somos salvos pela graça, e não por obras, *para que ninguém se glorie* (Efésios 2:8,9). Ou como Paulo disse aos coríntios: *a fim de que ninguém se glorie na presença de Deus* (1Coríntios 1:29). E ainda: *para que, como está escrito: Aquele que se gloria, glorie-se no Senhor* (1Coríntios 1:31). O orgulho e a vanglória serão evitados mediante contínuo quebrantamento e reconhecimento de quanto dependemos de Deus. Para tudo. Sim, até para viver a vida cristã!

Escudos de ouro ou de bronze?

O problema de quem vive de aparência é nunca reconhecer que está andando de tanque vazio, que está morrendo de sede. Temos a indecência de tentar manter as aparências até mesmo quando "a água da Fonte" já está sumindo da nossa vida.

Creio que isso aborrece muito o coração de Deus, porque, além de não estarmos buscando a água, fingimos que estamos cheios da água viva. Observe uma ilustração bíblica que revela muito desse tipo de comportamento:

> *No quinto ano do rei Roboão, Sisaque, rei do Egito, subiu contra Jerusalém e tomou os tesouros da Casa do Senhor e os tesouros da casa do rei; tomou tudo. Também levou todos os escudos de ouro que Salomão tinha feito. Em lugar destes, fez o rei Roboão escudos de bronze e os entregou nas mãos dos capitães da guarda, que guardavam a porta da casa do rei* (1Reis 14:25-27).

Em vez de lutar para recuperar os escudos de ouro que havia perdido, ou procurar repô-los, Roboão diz, com sua atitude, algo parecido com isto: "Vamos manter as aparências, o bronze é mais barato, mais fácil e acessível. Além disso, as pessoas não têm contato de perto com os escudos; o contato é de longe, e, a distância, um bronze batido e polido pode até parecer com o ouro. Então, fingimos que os escudos de ouro estão aqui, quando não estão mais".

Será que muitos de nós não temos trocado os escudos de ouro pelos de bronze em nossa vida de oração, em nossa vida de busca por Deus?

Quando, então, nos perguntam se tudo está bem, respondemos que sim. Embora a verdade, nesse caso, é que não está nada bem. Deus está dizendo que isso é uma maldade. Alguém pode dizer: "Mas, pastor, a gente não apostatou como Israel". Ainda não, mas, se não mudarmos logo a rota, é inevitável que sigamos no mesmo caminho.

Que o Senhor, sem o qual nada podemos fazer (João 15:5), nos capacite a sustentar tanto o entendimento como a decisão de viver essa busca intensa – sem que misturemos isso a qualquer anseio de reconhecimento ou a uma mera vida de aparência.

CAPÍTULO 11

Vidas preciosas demais

Se você não está pronto para morrer por uma causa, então você não está pronto para viver por ela.
— Martin Luther King Jr.

Como mencionei anteriormente tive o privilégio de nascer num lar cristão e ser dedicado ao Senhor desde criança. Aprendi, logo cedo, valores importantes da Palavra de Deus. Com cerca de 8 anos de idade, meu coração começou a queimar para o ministério. Lembro-me de que eu estava ouvindo, com muitas outras crianças, uma missionária que trabalhava em certa tribo indígena da Amazônia (ainda me recordo claramente da cena) quando ela falou sobre aquele texto conhecido do livro de Isaías: *Depois disto, ouvi a voz do Senhor, que dizia: A quem enviarei, e quem há de ir por nós? Disse eu: eis-me aqui, envia-me a mim* (Isaías 6:8). Aquela irmã – da qual nem sequer lembro o nome – passou a nos dizer que Deus estava atrás de voluntários que se dispusessem a cooperar com ele para a salvação das almas, e, de repente, eu já me vi "fisgado" em meu coração. Tomei uma decisão ali mesmo, com essa pouca idade, sob uma convicção que dura até hoje.

Naquele tempo, não era necessário falar mais do que isso ao se fazer um apelo a quem quisesse servir a Deus. Parece-me que bastava falar da vontade do Senhor e do clamor do seu coração, somar a isso a necessidade dos perdidos – cuja eternidade estava em jogo –, e nem era preciso dar muito destaque à nobreza do chamado. Pronto: era o suficiente!

Hoje em dia, a gente fala sobre o que arde no coração de Deus, enfatiza a necessidade de os perdidos receberem a salvação, exalta a grandeza do ministério e, ainda assim, parece ser tão difícil despertar as pessoas para responder ao chamado divino. O volume de gente disposta a servir a Cristo tem sido cada vez menor. E olha que, proporcionalmente falando, a igreja de hoje é muito maior que a de quase quatro décadas atrás!

Por que a resposta ao chamado ministerial, especialmente no que tange a missões mundiais, tem se tornado cada vez mais rara?

Um dia desses, quando eu questionava o Senhor sobre o porquê desse baixo nível de resposta da igreja, o Espírito Santo falou comigo. Uma frase veio forte, eu arriscaria dizer "quase gritada", ao meu coração: "Vidas valiosas demais!" Imediatamente veio, também, ao meu coração, a seguinte passagem bíblica: *Porém em nada considero a VIDA PRECIOSA para mim mesmo, contanto que complete a minha carreira e o ministério que recebi do Senhor Jesus para testemunhar o evangelho da graça de Deus* (Atos 20:24 – grifo do autor).

Então percebi o que estava por trás da declaração de Paulo, esse gigante da fé, quando disse não considerar sua vida preciosa. A palavra usada por ele no original grego, nesse versículo, que foi traduzida por *preciosa*, é *timios*. De acordo com o léxico de Strong, significa "de grande valor, precioso, mantido em honra, estimado, especialmente querido". Em outras palavras, ele estava dizendo que não considerava a sua vida como valiosa ou estimada demais.

É óbvio que não estou falando de não amar a si próprio ou não dar valor à vida. Estou falando de valorizar mais o propósito de Deus do que a própria vida! O segredo daqueles que se doam ao reino de Deus é a sua capacidade de não darem mais valor à vida em si do que à razão dela.

O espantoso é quando avaliamos, dentro do seu contexto, o que o apóstolo aos gentios disse: E qual é o contexto dessa afirmação? Encontramos isso nos versículos que precedem sua declaração: *E, agora, constrangido em meu espírito, vou para Jerusalém, não sabendo o que ali me acontecerá, senão que o Espírito Santo, de cidade em cidade, me assegura que ME ESPERAM CADEIAS E TRIBULAÇÕES* (Atos 20:22,23 – grifo do autor).

Uau! Que declaração! Atualmente, quando desafiamos as pessoas a pregar o evangelho, lembrando e encorajando-as acerca do galardão vindouro, da recompensa eterna, já é difícil gerar resposta. Imagine, então, quão difícil seria se déssemos a elas a mesma garantia que Paulo tinha de que o que lhe aguardava eram cadeias e tribulações!

O que leva alguém, à semelhança do apóstolo, a encarar esse tipo de desafio? Como alguém chega a esse ponto de topar qualquer coisa pelo chamado?

A chave pode ser encontrada na frase *em nada considero A VIDA PRECIOSA para mim mesmo*. Como afirmei anteriormente, o segredo de quem se entrega totalmente a Deus e ao seu reino é a sua capacidade de não valorizar a própria vida acima do chamado divino. Era isso que movia o apóstolo Paulo. Ele era norteado pelo seu propósito, pelo seu chamado. A prova disso é a frase seguinte, que fala da razão de não ter sua vida como valiosa demais: *contanto que COMPLETE A MINHA CARREIRA E O MINISTÉRIO que recebi do Senhor Jesus para testemunhar o evangelho da graça de Deus.*

Em outras palavras, Paulo estava dizendo: "O importante para mim não é permanecer vivo por mais tempo. É viver pelo que vale a pena!" Ele não queria garantir seu conforto. Ele não estava atrás de realizações egoístas e carnais. O apóstolo queria viver o seu propósito. Como dizia Myles Munroe: "A maior tragédia na vida não é a morte. É uma vida sem propósito".

Entendo que essa resposta dada não retrata apenas a atitude de Paulo, mas a de todo cristão que foi relevante e cumpriu o seu propósito. Ao longo dos séculos, os cristãos que fizeram diferença tinham algo em comum: a renúncia e a abnegação. Eram crentes que não amavam sua própria vida mais do que ao Senhor. Estavam dispostos a sacrificar-se pelo bem maior, o chamado de Deus, a missão a ser cumprida.

Sei que a nossa natureza carnal e egoísta tem a inclinação de lutar contra a autonegação. É o instinto de sobrevivência, diriam alguns. Mas vamos tratar do assunto por uma perspectiva lógica. Não temos, necessariamente, que vivenciar uma grande emoção, um sentimento arrebatador, para chegar a essa dimensão de entrega. O que precisamos é *compreender* alguns valores e princípios bíblicos.

Pelo que vale viver?

Muitos mártires morreram pela fé ao longo dos séculos. Por quê? Porque a exigência feita para que lhes fosse permitido continuar a viver era negar sua fé em Cristo. E imagino que a primeira coisa que eles, nessa hora, devem ter pensado foi algo parecido com isto: "Vale a pena viver depois de ter negado a Cristo?" E, penso eu, a resposta seria: "Claro que não!" A própria lógica, e não necessariamente a emoção, os remeteria à seguinte conclusão: "É melhor morrer do que viver fora do propósito de Deus!"

Qual é o grande valor da nossa vida? O que torna a vida significativa? O que faz dela algo pelo qual vale a pena se viver? É uma vida que agrada a Deus, que nos leva a experimentar o cumprimento do nosso propósito.

A própria Palavra de Deus nos ensina que há coisas pelas quais não vale a pena viver. Observe, por exemplo, o que Jesus falou acerca dos escândalos:

> *Qualquer, porém, que fizer tropeçar a um destes pequeninos que creem em mim, melhor lhe fora que se lhe pendurasse ao pescoço uma grande pedra de moinho, e fosse afogado na profundeza do mar. Ai do mundo, por causa dos escândalos; porque é inevitável que venham escândalos, mas ai do homem pelo qual vem o escândalo!* (Mateus 18:6,7).

Não há como esperar um cristianismo sem escândalos. Cristo disse que é inevitável que eles aconteçam. Porém, embora ele deixe claro que não dá para evitá-los na vida coletiva, na história da cristandade, é possível evitá-los em nossa vida pessoal. E a razão – uma muito boa razão – que nosso Senhor nos dá para evitar tais escândalos é a sua declaração (eu diria um tanto quanto assustadora): *melhor lhe fora que se lhe pendurasse ao pescoço uma grande pedra de moinho, e fosse afogado na profundeza do mar.*

Sério? É isso mesmo que Jesus estava querendo dizer? Que seria melhor suicidar-se do que servir de escândalo? Sim, goste você ou não, foi exatamente isso que ele falou. Quando alguém amarrava uma pedra em seu pescoço, grande e pesada o suficiente para não conseguir flutuar ou nadar com ela, e então lançava-se nas águas profundas, não havia mais volta. Era morte certa! E planejar e executar essa ação contra si mesmo não poderia ser classificado de outra forma. Era suicídio. Logo, foi isso mesmo que o mestre falou.

Entenda que eu não estou fazendo apologia ao suicídio e tampouco pode se dizer que Cristo tenha feito isso. As consequências do suicídio são graves, é algo muito sério. Paulo disse aos coríntios que *Se alguém destruir o santuário de Deus, DEUS O DESTRUIRÁ; porque o santuário de Deus, que sois vós, é sagrado* (1Coríntios 3:17 – grifo do autor). Observe a frase *Deus o destruirá.* O que você acha que ela significa? Deus destruirá o quê? Certamente não é o corpo, o templo do Espírito e santuário de Deus, porque esse – numa situação de suicídio – o homem já teria destruído. O que é que sobrou, depois disso, para ser destruído? A Bíblia, obviamente, está falando do homem interior. Está apontando a consequência de perdição eterna para quem tira a própria vida (embora haja determinadas situações em que alguém privado da saúde mental necessária ou levado por um estado de surto ou grave depressão possa tirar a própria vida. Essa, porém, é uma questão de outro jaez, que não é nosso foco aqui).

Portanto, ninguém pode dizer que essa é uma sugestão dada pelo Messias. O que ele estava dizendo era o seguinte: "Se você cogita a possibilidade de viver para servir de escândalo e, além de arruinar a sua própria vida, vai fazer tropeçar muitos dos meus pequeninos, seria melhor prejudicar só a si mesmo". Ou seja, o juízo para quem serve de escândalo é pior do que o juízo para quem se mata. Não significa apoio ao suicídio. É uma forma de dizer: "dos males, o menor".

Encontramos nos versículos posteriores ao que estamos analisando o mesmo tipo de conselho. Observe:

> *Portanto, se a tua mão ou o teu pé te faz tropeçar, corta-o e lança-o fora de ti; melhor é entrares na vida manco ou aleijado do que, tendo duas mãos ou dois pés, seres lançado no fogo eterno. Se um dos teus olhos te faz tropeçar, arranca-o e lança-o fora de ti; melhor é entrares na vida com um só dos teus olhos do que, tendo dois, seres lançado no inferno de fogo* (Mateus 18:8,9).

O que é sugerido aqui? Que se corte o pé ou a mão? Que se arranque um olho? Não! A orientação é sobre não pecar! E para demonstrar a seriedade e importância de observar essa orientação, bem como ajudar a tomar a decisão correta, Cristo mostra que seria melhor – ou menos grave – optar pela perda menor. Embora sábio mesmo seja não escolher nem um nem outro.

O mesmo é verdadeiro em relação à nossa vida. Há coisas pelas quais não vale a pena viver. E viver para si, em vez de para o Senhor, certamente está entre elas.

UMA EXIGÊNCIA AOS QUE QUEREM SER DISCÍPULOS

Em determinada ocasião, quando as Escrituras enfatizam que havia *grandes multidões* seguindo a Jesus (e me parece que, sempre que essa ênfase é dada, encontraremos algum ensino de Cristo que parece ser a forma de certificar-se de que as pessoas entenderam o que significa, de fato, segui-lo), ele estabelece uma exigência, uma condição, aos que querem ser seus discípulos:

> *Grandes multidões o acompanhavam, e ele, voltando-se, lhes disse: Se alguém vem a mim e não aborrece a seu pai, e mãe, e mulher, e filhos, e irmãos, e irmãs e ainda a sua própria vida, não pode ser meu discípulo. E qualquer que não tomar a sua cruz e vier após mim não pode ser meu discípulo* (Lucas 14:25-27).

Não estamos falando de um conselho ou sugestão, mas de um requerimento inegociável. Só poderia tornar-se discípulo de Jesus quem preenchesse tal requisito: tomar a sua cruz. Se estamos reconhecendo que tomar a cruz é uma exigência para ser discípulo de Cristo – o que acredito ser o que queremos de fato –, então como não entender qual é, exatamente, essa exigência? Precisamos compreendê-la, do contrário jamais atenderemos à exigência feita e, consequentemente, não poderemos ser seus discípulos. Hudson Taylor declarou: "Uma vida fácil, que a si mesmo não se negue, nunca será poderosa. Produzir frutos exige suportar cruzes".

Já ouvi todo tipo de conversa e tentativa de explicação sobre esse assunto. Alguns pensam que tomar a cruz tem a ver com alguma dificuldade que tenham de suportar, uma prova pela qual precisam passar. Certa ocasião, alguém me apresentou a sogra e, divertidamente (e espero que ele tivesse mesmo essa liberdade), a apresentou desta forma: "Ei, pastor, esta aqui é a minha cruz!" Mas nenhuma dessas coisas se encaixa no que Cristo ensinou.

Então o que, de fato, significa a expressão *tomar a sua cruz*?

Deixemos a própria Bíblia explicar a Bíblia. Quando o Império Romano sentenciava algum prisioneiro a esse tipo de morte, por crucificação, era comum fazer com que ele desfilasse publicamente carregando a sua cruz. Essa caminhada até o local da execução era uma forma de reconhecer, perante todos, a própria sentença de morte. As Escrituras nos mostram que fizeram isso com nosso Senhor: *Tomaram eles, pois, a Jesus; e ele próprio, CARREGANDO A SUA CRUZ, saiu para o lugar chamado Calvário, Gólgota em hebraico, onde o crucificaram e com ele outros dois, um de cada lado, e Jesus no meio* (João 19:17,18 – grifo do autor).

Em determinado momento, pela provável dificuldade de fazer isso sozinho, em razão dos sofrimentos que lhe foram infligidos, Jesus precisou de ajuda para carregar a sua cruz: *E OBRIGARAM a Simão Cireneu, que passava, vindo do campo, pai de Alexandre e de Rufo, a carregar-lhe a cruz* (Marcos 15:21 – grifo do autor). A expressão *obrigaram* significa que os próprios soldados romanos impuseram compulsoriamente a tal ajuda a esse Simão que voltava do campo (frase que sugere que ele era só um passante, e não um espectador que acompanhava a multidão).

Diante de tais informações pergunto, novamente, o que é tomar a sua cruz? É assumir, publicamente, uma sentença de morte que já foi decretada sobre nós. Ou seja, Cristo estava ensinando que, para sermos seus discípulos, temos de decidir morrer para o nosso próprio eu, para a nossa carne e para o mundo. E não só aceitar isso, mas tornar público que já estamos sentenciados à morte.

Isso fica ainda mais evidente quando Jesus relaciona o ato de negar a si mesmo com o de tomar a cruz. Portanto, vemos que as duas coisas estão conectadas. E é acerca disso que passo a discorrer agora.

NEGAR A SI MESMO

> *Então, convocando a multidão e juntamente os seus discípulos, disse-lhes: Se alguém quer vir após mim, A SI MESMO SE NEGUE, tome a sua cruz e siga-me* (Marcos 8:34 – grifo do autor).

O que significa a exigência de Jesus apresentada aos que aspiravam a ser seus discípulos? Quando ele disse *a si mesmo se negue*, o que, exatamente, isso queria dizer?

Desde o início da história humana, o grande conflito que nós, humanos, temos com Deus é uma guerra de vontades. O Senhor disse ao primeiro casal que não era da vontade dele que comessem da árvore do conhecimento do bem e do mal; mas eles escolheram sua própria vontade e comeram. A obediência é um requisito definido pelo criador para regrar o seu relacionamento com a humanidade desde o início; e o perigo de comprometer isso tudo sempre residiu na vontade e no poder de escolha dos homens, que tendem a diferir da vontade e das ordenanças divinas. Essa foi a razão pela qual Deus advertiu a Caim, antes de ele pecar: ... *o seu desejo será contra ti, mas a ti cumpre dominá-lo* (Gênesis 4:7). Nossos desejos carnais trabalham contrários ao propósito divino, portanto, são contra nós!

Nosso Senhor Jesus Cristo não veio apenas remover a culpa e a condenação do pecado; ele veio para restaurar o propósito inicial, comprometido pela desobediência do homem e suas trágicas consequências. Mas é ridículo acharmos que pode haver a restauração plena de tudo o que o homem tinha antes da Queda sem que a mesma dimensão de obediência a Deus (e plena sujeição ao seu senhorio) seja restabelecida, como no princípio.

O evangelho de Cristo é uma mensagem de obediência. Temos tentado proclamar uma mensagem de fé desacompanhada da obediência, e isso não se harmoniza com a revelação bíblica. Aliás, por duas vezes, Paulo relaciona, em sua carta aos Romanos, a obediência com a fé. Atente para as frases destacadas:

> *Por meio dele e por causa do seu nome, recebemos graça e apostolado para chamar dentre todas as nações um povo PARA A OBEDIÊNCIA QUE VEM PELA FÉ. E vocês também estão entre os chamados para pertencerem a Jesus Cristo* (Romanos 1:5,6, NVI – grifo do autor).

> *Ora, àquele que tem poder para confirmá-los pelo meu evangelho e pela proclamação de Jesus Cristo, de acordo com a revelação do mistério oculto nos tempos passados, mas agora revelado e dado a conhecer pelas Escrituras proféticas por ordem do Deus eterno, para que todas as nações venham A CRER NELE E A OBEDECER-LHE; sim, ao único Deus sábio seja dada glória para todo o sempre, por meio de Jesus Cristo. Amém* (Romanos 16:25-27, NVI – grifo do autor).

Na verdade, há uma inquestionável conexão nas Escrituras entre crer e obedecer. Cristo nos mandou pregar o evangelho a toda criatura e disse que os que cressem seriam salvos (Marcos 16:15,16). Portanto, o evangelho requer do homem uma resposta de fé. Mas o mesmo Jesus também ordenou que fizéssemos discípulos das nações e os ensinássemos a guardar (obedecer, cumprir, atender) tudo o que ele havia ensinado (Mateus 28:19,20). Fé e obediência andam juntas!

Em seu precioso livro *Coração ardente: acendendo o amor por Deus*,[6] John Bevere diz o seguinte sobre isso: "Na Bíblia, *crer* significa não somente reconhecer a existência de Jesus, mas também obedecer à sua vontade e à sua Palavra. Em Hebreus 5:9, lemos: '*E, uma vez aperfeiçoado, tornou-se a Fonte da salvação eterna para todos os que lhe obedecem*'. Crer é obedecer".

Com isso em mente, é necessário reconhecer que a ordem de Cristo sobre negar a si mesmo não é uma mera tentativa de nos privar de algo supostamente bom. Trata-se do princípio da obediência sendo cultivado através do exercício da única coisa que pode barrar nossa inclinação ao pecado: o domínio próprio.

Paulo definiu a autonegação nas seguintes palavras: *Estou crucificado com Cristo; logo, já não sou eu quem vive, mas Cristo vive em mim* (Gálatas 2:20). Em outra epístola, o apóstolo descreveu a maneira como podemos nos manter crucificados com Cristo: *Mas esmurro o meu corpo e o reduzo à escravidão, para que, tendo pregado a outros, não venha eu mesmo a ser desqualificado* (1Coríntios 9:27).

O que é a autonegação? Ela não deve ser confundida com autoflagelo. A linguagem de Paulo sobre "esmurrar o corpo" deve ser vista como figurada, o que percebemos, especialmente, quando ele fala sobre "reduzir o

---

[6] BEVERE, John. *Coração ardente: acendendo o amor por Deus*. Rio de Janeiro: Edilan, 2016.

corpo à escravidão". Aliás, para entender a não literalidade da afirmação do apóstolo, basta nos questionar: "De que forma essa segunda frase poderia ser literal?"

Quando José, no Egito, disse não à sua vontade carnal de aceitar a proposta indecente da mulher de Potifar e adulterar com ela, ele estava "esmurrando seu corpo" e "reduzindo-o à escravidão". Quando Jesus, no Getsêmani, orou para que a vontade do Pai celeste fosse feita, e não a sua, ele estava fazendo o mesmo.

Richard Baxter declarou: "A morte perde metade de suas armas quando negamos em primeiro lugar os prazeres e interesses da carne".

Lutando contra o instinto de sobrevivência

O ensino de Jesus, porém, sobre o assunto não parou na instrução acerca da autonegação e da decisão de carregar a cruz (Marcos 8:34). Ele aborda, no versículo seguinte, a questão da nossa luta contra esse processo de morte para o nosso eu. Quero denominar essa nossa indisposição carnal – e resistência à exigência de Cristo aos seus discípulos – como "instinto de sobrevivência". Observe as palavras do mestre: *Quem quiser, pois, salvar a sua vida perdê-la-á; e quem perder a vida por causa de mim e do evangelho salvá-la-á* (Marcos 8:35).

Normalmente tiramos essa frase do contexto e, assim, acabamos confundindo o que Jesus queria nos dizer. Quando ele diz *quem quiser salvar a sua vida perdê-la-á*, não está falando sobre salvação no sentido espiritual da palavra. Se assim fosse, de acordo com o que Cristo disse, os que querem ser salvos acabariam se perdendo. E o contrário também seria verdade, pois ele também disse que "quem perder a vida salvá-la-á"; assim, todos aqueles que não se importassem com a salvação e escolhessem se perder é que seriam salvos. Pensar assim é mais do que um equívoco; é uma contradição a tudo o que a Palavra de Deus ensina.

O versículo citado anteriormente não pode ser analisado ou mesmo compreendido à parte do versículo que o antecede. O mestre tinha dito que, se alguém quisesse segui-lo, tinha de negar a si mesmo (morrer para si) e tomar a sua cruz (admitir que está sentenciado à morte). Então, imediatamente depois, ele fala sobre salvar a si mesmo. Nosso Senhor falava daqueles que deixariam o seu "instinto de sobrevivência" ativado e no controle. Essa tentativa de salvar-se é nada mais, nada menos, do que a tentativa de viver um outro evangelho, sem cruz, sem autonegação. Nós só temos a perder quando fazemos esse tipo de escolha, uma vez que Jesus declarou que *quem quiser salvar a sua vida perdê-la-á*.

Como eu disse anteriormente (ao apresentar a lei da reciprocidade), nunca teremos tudo de Deus sem que ele tenha, primeiro, tudo de nós. E, quando deixamos de nos entregar a ele, somos nós mesmos quem perdemos. Perdemos a oportunidade de, em contrapartida, desfrutar mais do Senhor. Madame Guyon afirmou: "É impossível amar a Deus sem amar a cruz [...]. Deus nos dá a cruz, e a cruz nos dá Deus".

Quando falo do "instinto de sobrevivência", refiro-me à natureza egoísta do ser humano. Não temos uma inclinação natural a morrer para nós mesmos. Isso é um fato em toda a história da humanidade, pois tem a ver com a natureza humana. Porém, as Escrituras advertem que no tempo do fim esse comportamento iria piorar ainda mais: *Sabe, porém, isto, que nos últimos dias, virão tempos difíceis; pois os homens serão* AMANTES DE SI MESMOS (2Timóteo 3:1,2, TB – grifo do autor).

A expressão *amantes de si mesmos* refere-se àqueles cuja vida é valiosa demais para aceitarem sua sentença de morte e tomar a sua cruz. Fala daqueles que evitam a autonegação e querem salvar a si mesmos.

Quando não temos mais nada a perder

É necessário entendermos que, se por um lado quem tenta salvar sua vida desse processo de morte para si mesmo acaba perdendo (deixando de desfrutar a plenitude do que Deus tem para nós), por outro lado, os que se dispõem a perder a sua própria vida, aceitando a exigência de Cristo, acabam ganhando com isso (certamente provarão mais do que Deus tem para eles). Ou seja, a perda (a entrega) se torna em ganho (mais de Deus), e o ganho (tentativa de escapar da cruz) se torna em perda (menos de Deus).

Só isso já seria, por si, motivo suficiente para não evitar a cruz que Cristo determinou que seus discípulos carreguem. Mas há algo mais. Há outro motivo para não evitarmos isso. E penso ser igualmente necessário compreendê-lo.

Afirmei, anteriormente, que ao longo da história da igreja os que mais contribuíram para o avanço e estabelecimento do reino de Deus foram os que mais se renderam ao Senhor por meio do sacrifício de si mesmos. Isso é um fato confirmado na história da igreja. Talvez a pergunta a ser feita, no tocante a isso, seja: "Por que essas pessoas realizaram mais?"

Acredito que, quando já nos doamos a Deus a ponto de morrer para nós mesmos, não temos *mais nada a perder* e não podemos ser detidos por nada. É o que a Palavra de Deus nos revela, no livro de Apocalipse, quando fala daqueles que venceram Satanás:

> *Eles, pois, o venceram por causa do sangue do cordeiro e por causa da palavra do testemunho que deram e, mesmo em face da morte, não amaram a própria vida* (Apocalipse 12:11).

Normalmente falamos daqueles que venceram o diabo e damos ênfase somente ao sangue do cordeiro e à palavra do testemunho como recursos para essa vitória. Mas há um terceiro recurso nessa lista que tem sido ignorado nessa receita para vencer o inimigo: "mesmo em face da morte, eles não amaram suas vidas!" Eram pessoas que faziam coro com a declaração de Paulo: *Todavia, não me importo, nem considero a minha vida de valor algum para mim mesmo, se tão somente puder terminar a corrida e completar o ministério que o Senhor Jesus me confiou, de testemunhar do evangelho da graça de Deus* (Atos 20:24 – NVI).

Há algo por trás dessa disposição de colocar o Senhor acima de tudo e de todos em nossas vidas, de chegar ao ponto em que nada mais importa, que pode nos levar a uma dimensão extraordinária de conquistas em prol do reino. Paulo sabia disso. E, repito, muitos dos que ajudaram a escrever a história da igreja de Cristo também demonstraram, na prática e por declarações, que entendiam esse princípio. John Wesley, fundador do metodismo, e um ícone no reavivamento da Inglaterra no século 18, dizia: "Senhor, dá-me 100 homens que odeiem o pecado e não desejem *mais nada além de ti*; então *abalarei o mundo*".

Vamos considerar, por um instante, os mártires que, ao longo da história, deram suas vidas por amor a Cristo. Nem todo cristão tem de ser um amante da história, mas penso que esse é um assunto que merecia um pouco mais da nossa consideração. A igreja de Cristo foi edificada com o derramar não só do suor da labuta de muitos obreiros mas também com o sangue de muitos santos que, literalmente, se sacrificaram por causa do evangelho! A geração atual talvez não entenda essa dimensão de compromisso, muito menos a nobreza espiritual daqueles crentes. Gosto da definição do livro de Hebreus que fala sobre alguns de quem *o mundo não era digno* (Hebreus 11:38).

Se a Bíblia declara que a forma de alguns crentes vencerem ao diabo foi *mesmo em face da morte, não amaram a própria vida* (Apocalipse 12:11), pressupõe-se que Satanás estava por trás das ameaças de morte (e até a sua execução) deles. Porém, vale questionar o seguinte: "Por que o diabo tentaria levar a morte para esses cristãos? Seria somente pelo fato de vê-los como ameaça e desejar pará-los?" A história comprova que um martírio somente fortalece uma causa, não a debilita. E já sabemos que, quanto à causa do evangelho foi exatamente assim, os martírios apenas fortaleceram a igreja. Então por que Satanás tentou usar essa arma contra os santos?

Descobri, nas Escrituras, que o diabo não quis usar a morte nessas tentativas de parar os crentes. Sua força de intimidação contra as pessoas era outra. Observe o que a Bíblia diz sobre isso:

> *Portanto, visto que os filhos são pessoas de carne e sangue, ele também participou dessa condição humana, para que, por sua morte, derrotasse aquele que tem o poder da morte, isto é, o diabo, e libertasse aqueles que durante toda a vida estiveram escravizados pelo medo da morte* (Hebreus 2:14,15, NVI).

O texto revela que Jesus derrotou quem detinha o poder da morte, a saber o diabo. Mas também nos informa como é que Satanás escravizava as pessoas: "pelo *medo* da morte". Embora tivesse o poder da morte, a escravidão do Maligno não era imposta pela morte em si, mas, sim, pelo medo dela!

O que isso significa? Que o diabo não consegue dominar quem não tem medo da morte. É por isso que Apocalipse 12:11 fala de crentes que o venceram por não amarem a sua vida!

A vida deles não era "valiosa demais" para eles como era para aqueles que a Bíblia classificou como "amantes de si mesmos". Josif Ton afirmou: "Quando você coloca a vida no altar, quando se prontifica e aceita morrer, você se torna invencível. Não tem mais nada a perder". Quem já entregou sua vida e tudo de si a Cristo, não tem mais nada a perder. Não há ameaças que possam intimidá-lo. É por isso que vemos, no livro de Atos, uma igreja "imparável". Não havia prisões, ameaças, perseguições ou martírios que pudessem parar aquela primeira geração de cristãos.

Que nível de rendição e entrega você já alcançou? Você já se dispôs ao mais profundo nível de doação a Deus? Ou sua vida ainda é valiosa demais aos seus próprios olhos? Essas são perguntas que precisamos fazer periodicamente.

Alcançar essa dimensão de entrega e rendição em que nada mais importa, nem mesmo a nossa própria vida, não apenas fortalecerá nossa intimidade e comunhão com o Senhor, como também nos tornará "imparáveis" e invencíveis diante de nosso Adversário.

Que o Senhor nos dê graça e nos ajude tanto a entender mais profundamente como a praticar esse princípio inegociável do seu reino!

CAPÍTULO 12

Reacendendo a paixão

Prazer em Deus é a saúde de sua alma. Essa é a chave da adoração aceitável. Deus não está satisfeito, nem nós somos renovados, por uma obediência repleta de tarefas, mas isenta de prazer.
– RICHARD BAXTER

Em seu livro Um coração ardente: acendendo o amor por Deus, John Bevere, um dos grandes mestres bíblicos da atualidade (com livros traduzidos em mais de cem idiomas), declara:

> Os dias e tempos que vivemos hoje trazem com eles questões difíceis. Por que tantos na igreja não possuem essa paixão? Por que investimos milhões em mídia, edifícios, anúncios e inúmeras outras formas de propagarmos o evangelho, enquanto tantos na igreja ainda lutam contra a luxúria e o desejo pelos prazeres deste mundo? Por que mais de 80% dos convertidos acabam voltando para um mundo de trevas? Como os pecadores podem declarar que tiveram uma experiência de novo nascimento, mas não demonstrar nenhuma mudança? Creio que a resposta para todas essas questões pode ser resumida de uma única maneira: a ausência do fogo e da paixão por Deus.

Concordo que a questão da paixão e do amor pelo Senhor é central na Bíblia, senão não seria chamado de "o maior mandamento". Reconheço também, na prática, que temos dois problemas ligados a essa falta de paixão. Em primeiro lugar, temos aqueles que nunca amaram o Senhor e precisam entrar nessa dimensão de relacionamento. Mas, em segundo lugar, e não menos problemático do que o primeiro, temos aqueles que já amaram o Senhor e perderam esse amor.

O que apresento neste capítulo pode ajudar os que nunca amaram Cristo como deveriam, mas meu foco é principalmente, mas não exclusivamente, aqueles que abandonaram seu primeiro amor. Para tratar desse assunto, começaremos por uma declaração de Jesus que, embora muito conhecida, acredito que ainda seja muito mal compreendida e até mesmo ignorada.

Nas visões que o apóstolo João teve em seu exílio na ilha de Patmos, o Senhor lhe confiou algumas mensagens às igrejas da Ásia. Em Apocalipse, na carta endereçada à igreja de Éfeso, Jesus protestou com relação à decadência do amor que essa igreja estava apresentando naquele momento. Ele protestou pela perda do que classificou como o primeiro amor:

> *Conheço as tuas obras, tanto o teu labor como a tua perseverança, e que não podes suportar homens maus, e que puseste à prova os que a si mesmos se declaram apóstolos e não são, e os achaste mentirosos; e tens perseverança, e suportaste provas por causa do meu nome, e não te deixaste esmorecer. Tenho, porém, contra ti que abandonaste o teu primeiro amor. Lembra-te, pois, de onde caíste, arrepende-te e volta à prática das primeiras obras; e, se não, venho a ti e moverei do seu lugar o teu candeeiro, caso não te arrependas* (Apocalipse 2:2-5).

O PRIMEIRO AMOR

O que é esse primeiro amor a que o Senhor Jesus se refere nessa mensagem? É um fogo de grande intensidade em nosso íntimo, que coloca Jesus acima de todas as coisas. Isso foi muito bem exemplificado em uma das parábolas de Cristo: *O reino dos céus é semelhante a um tesouro oculto no campo, o qual certo homem, tendo-o achado, escondeu. E, transbordante de alegria, vai, vende tudo o que tem e compra aquele campo* (Mateus 13:44).

O Senhor está falando de alguém que, além de transbordar de alegria por ter encontrado o reino de Deus, ainda se dispõe a abrir mão de tudo o que tem para desfrutar do seu achado. Essas duas características são evidentes na vida de quem teve um encontro real com Jesus.

Essa alegria inicial foi mencionada por Jesus na parábola do semeador. O problema é que alguns cristãos permitem que ela desapareça diante de algumas provações: *O que foi semeado em solo rochoso, esse é o que ouve a palavra e a recebe logo, com alegria; mas não tem raiz em si mesmo, sendo, antes, de* POUCA DURAÇÃO; *em lhe chegando a angústia ou a perseguição por causa da palavra, logo* SE ESCANDALIZA(Mateus 13:20,21 - grifo do autor).

Outros cristãos, por sua vez, até mesmo diante das mais duras provações, ainda permanecem transbordantes dessa alegria. Isso nos mostra que o responsável pela perda da paixão não são as circunstâncias em si. Pois, enquanto o amor de uns chega a se esfriar, o de outros não sofre dano algum, mesmo diante das adversidades. A questão é a atitude que cada um tem diante das circunstâncias. Consideremos o comportamento dos apóstolos: *Chamando os apóstolos, açoitaram-nos e, ordenando-lhes que não falassem em o nome de Jesus, os soltaram. E eles se retiraram do Sinédrio* REGOZIJANDO-SE *por terem sido considerados dignos de sofrer afrontas por esse Nome* (Atos 5:40,41 - grifo do autor).

O primeiro amor também pode ser visto como aquele nosso primeiro momento de relacionamento com Cristo em que nos devotamos de todo o nosso ser a ele. Abrimos mão de tudo por causa de Jesus. Citei, há pouco, a parábola do tesouro escondido no campo; mas só entenderemos: *O reino dos céus é também semelhante a um que negocia e procura boas pérolas; e, tendo achado uma pérola de grande valor, vende tudo o que possui e a compra* (Mateus 13:45,46).

O reino de Deus passa a ser prioridade absoluta. É quando amamos a Deus de todo o nosso coração, de toda a nossa alma, de todo o nosso entendimento e com todas as nossas forças! Esse primeiro amor nos leva a viver intensamente a fé. Foi assim desde o início da era cristã:

> *Então, os que aceitaram a palavra foram batizados, havendo um acréscimo naquele dia de quase três mil pessoas. E perseveravam na doutrina dos apóstolos e na comunhão, no partir do pão e nas orações. Em cada alma havia temor; e muitos prodígios e sinais eram feitos por intermédio dos apóstolos. Todos os que creram estavam juntos e tinham tudo em comum. Vendiam as suas propriedades e bens, distribuindo o produto entre todos, à medida que alguém tinha necessidade. Diariamente perseveravam unânimes no templo, partiam pão de casa em casa e tomavam as suas refeições com alegria e singeleza de coração, louvando a Deus e contando com a simpatia de todo o povo. Enquanto isso, acrescentava-lhes o Senhor, dia a dia, os que iam sendo salvos* (Atos 2:41-47).

Os relatos de Atos nos revelam uma igreja viva, cheia de paixão e fervor:

> *Da multidão dos que creram era um o coração e a alma. Ninguém considerava exclusivamente sua nem uma das coisas que possuía; tudo, porém, lhes era comum.*

> Com grande poder, os apóstolos davam testemunho da ressurreição do Senhor Jesus, e em todos eles havia abundante graça. Pois nenhum necessitado havia entre eles, porquanto os que possuíam terras ou casas, vendendo-as, traziam os valores correspondentes e depositavam aos pés dos apóstolos; então, se distribuía a qualquer um à medida que alguém tinha necessidade (Atos 4:32-35).

Esse amor nos leva à prática de buscar intensamente o Senhor. Aliás, vale ressaltar que há um padrão de busca que Deus determinou para nós. É quando ele se torna mais importante para nós do que qualquer outra pessoa ou coisa. Devemos chegar a um ponto tal nesse anseio por ele que nada mais importe!

É possível entrar nesse lugar de fascinação tão intensa pelo Senhor? Claro que sim! Vemos isso na Bíblia, a Palavra inspirada de Deus. Observe esta declaração que o salmista faz ao Senhor: *A quem tenho nos céus senão a ti? E na terra,* NADA MAIS DESEJO *além de estar junto a ti* (Salmos 73:25 - grifo do autor).

Esse fogo do amor também faz com que trabalhemos para Deus. Cristo relacionou esse amor com obras quando disse a Pedro que, se ele o amasse, deveria apascentar o seu rebanho (João 21:15-17). O apóstolo Paulo falou que o amor de Cristo (ou o entendimento da profundidade desse amor) nos constrange a não mais vivermos para nós, e sim para ele: *Pois o amor de Cristo* NOS CONSTRANGE- *julgando nós isto: um morreu por todos; logo, todos morreram. E ele morreu por todos, para que os que vivem não vivam mais para si mesmos, mas para aquele que por eles morreu e ressuscitou* (2Coríntios 5:14,15 - grifo do autor).

Foi esse constrangimento de amor que fez com que o apóstolo Paulo trabalhasse mais do que os demais apóstolos: *Mas, pela graça de Deus, sou o que sou; e a sua graça, que me foi concedida, não se tornou vã; antes, trabalhei muito mais do que todos eles; todavia, não eu, mas a graça de Deus comigo* (1Coríntios 15:10).

Isso também deveria ser assim conosco. O primeiro amor é uma profunda resposta ao entendimento do amor de Cristo, o que nos leva a buscar e a servir ao Senhor com intensidade e paixão.

DEFININDO A PERDA DO PRIMEIRO AMOR

Às vezes, a melhor forma de compreender o que alguma coisa é começa pela definição do que ela *não é*. Portanto, a fim de melhor entender a diminuição do amor vivida pelos efésios, devemos analisar também o que as Escrituras mostram não ser a perda do primeiro amor.

Alguns acham que, se o primeiro amor nos leva ao trabalho, então, em contrapartida, a perda do primeiro amor poderia ser definida como uma *diminuição da produtividade*. Porém, de acordo com a mensagem de Jesus na carta à igreja de Éfeso, a perda do primeiro amor não é apenas uma questão de relaxarmos no trabalho de Deus, uma vez que o Senhor lhes disse: *Conheço as tuas obras, tanto o teu labor como a tua perseverança...* (Apocalipse 2:2). A palavra grega traduzida por labor é *kopos*, que, de acordo com o léxico de Strong, significa "intenso trabalho unido a aborrecimento e fadiga". Esse tipo de labor seguido de perseverança, por parte dos efésios, não nos permite concluir que eles tenham demonstrado alguma queda de produtividade no serviço ao Senhor.

Perder a paixão pelo Senhor também não é enfrentar uma crise de desânimo ou simplesmente desejar desistir, uma vez que, nessa mensagem profética, o Senhor Jesus elogia a persistência desses cristãos de Éfeso: *e tens perseverança, e suportaste provas por causa do meu nome, e não te deixaste esmorecer* (Apocalipse 2:3).

A perda do primeiro amor também não pode ser vista como sendo um momento de crise no trabalho ou na dedicação, uma vez que é algo que Deus tem contra nós: *Tenho, porém, contra ti que abandonaste o teu primeiro amor. Lembra-te, pois, de onde caíste, arrepende-te e volta à prática das primeiras obras; e, se não, venho a ti e moverei do seu lugar o teu candeeiro, caso não te arrependas* (Apocalipse 2:4,5).

Portanto, a perda do primeiro amor é uma queda, é chamada de *pecado*, e necessita de *arrependimento*. Recordo-me de uma ocasião em que alguém me pediu oração e, como de costume, indaguei pelo que tal pessoa gostaria que eu orasse. Ela disse que "estava em crise". Curioso, indaguei que crise era. Gosto de saber pelo que vou orar. A pessoa prontamente me respondeu:

– É que eu perdi meu primeiro amor.

Retruquei na hora:

– Então você não está em crise; está em pecado.

Recebi, imediatamente, um olhar de reprovação, que indicava um possível exagero da minha parte. Então tive de demonstrar, pelas Escrituras, que Jesus classificou a perda da paixão inicial como sendo uma queda, que também é chamada de *pecado*, e que necessita de *arrependimento*.

Há muitos crentes que continuam se dedicando ao trabalho do Senhor, mas perderam a paixão. Fazem o que fazem por hábito, por rotina, por medo, pelo galardão, por quaisquer outros motivos, os quais, acompanhados daquele primeiro amor intenso, fariam sentido, mas sozinhos não!

A queixa que o Senhor faz é a de que esses crentes haviam abandonado o primeiro amor. A palavra grega *aphiemi*, traduzida por abandonar nesse texto bíblico, tem um significado bem abrangente. O léxico de Strong define essa palavra da seguinte maneira: "enviar para outro lugar; mandar ir embora ou partir; de um marido que divorcia sua esposa; enviar, deixar, expelir; deixar ir, abandonar, não interferir; negligenciar; deixar ir, deixar de lado uma dívida; desistir; não guardar mais; partir; deixar alguém a fim de ir para outro lugar; desertar sem razão; partir deixando algo para trás; deixar destituído".

Essas expressões refletem não uma perda que possa ser denominada como sendo meramente acidental, mas um ato voluntário de abandono, de descaso.

O Senhor Jesus tampouco está exortando essa igreja por não o amar mais! Não se tratava de uma ausência completa de amor, pois ainda havia amor! No entanto, o amor deles havia perdido a sua intensidade e não era mais o amor que ele esperava encontrar neles!

Por que perdemos o amor

O primeiro amor é como um fogo. Se colocamos lenha, ele fica mais inflamado. Contudo, se jogamos água, ele se apaga! Falhamos tanto por não alimentar o fogo como por permitir que outras coisas o apaguem.

Muitas coisas contribuem para que o nosso amor pelo Senhor perca a sua intensidade. No entanto, há quatro coisas, especificamente, que eu gostaria de enfatizar aqui. Se quisermos nos prevenir e evitar essa perda, ou se quisermos uma restauração, depois que perdemos esse amor, precisaremos entender esses aspectos e a maneira como eles nos afetam:

1) O convívio com o pecado;
2) a falta de profundidade;
3) a falta de tratamento;
4) as distrações.

O convívio com o pecado

O primeiro fator de esfriamento do nosso amor para com o Senhor é o convívio com o pecado: *E, por se multiplicar a iniquidade, o amor de muitos se esfriará* (Mateus 24:12).

Ao falar do convívio com o pecado, em vez do pecado em si, pretendo estabelecer uma diferença importantíssima. É óbvio que quem vive no pecado está distante de Deus. Embora a ausência do primeiro amor seja chamada de pecado, esse pecado não é necessariamente ocasionado por algum outro pecado na vida de quem sofreu essa perda. Muitas vezes, esta frieza pode ser gerada pelo convívio com o pecado dos outros!

Creio que, em Mateus 24:12, Jesus está se referindo aos pecados da sociedade em que vivemos. Em razão da multiplicação do pecado à nossa volta (e não necessariamente em nossa vida), passamos a conviver com algumas coisas que, ainda que não as pratiquemos, as toleramos.

Precisamos ter o cuidado de não nos acostumar com o pecado à nossa volta. Muitas vezes, o enredo dos filmes que nos proporcionam entretenimento faz com que nos acostumemos com alguns valores contrários ao que pregamos. Acabamos aceitando com naturalidade a violência, a imoralidade e muitos outros valores mundanos. Mesmo que não venhamos a ceder a esses pecados, se não mantivermos um coração que aborreça o mal, ficaremos acostumados com esses valores errados a ponto de permitir que o nosso amor se esfrie! Quando o Novo Testamento fala de Ló, sobrinho de Abraão, destaca uma característica que não é vista com clareza no Antigo Testamento. Trata-se do testemunho de que ele se afligia com as iniquidades das pessoas à sua volta:

> *E, reduzindo a cinzas as cidades de Sodoma e Gomorra, ordenou-as à ruína completa, tendo-as posto como exemplo a quantos venham a viver impiamente; e livrou o justo Ló, afligido pelo procedimento libertino daqueles insubordinados (porque este justo, pelo que via e ouvia quando habitava entre eles, atormentava a sua alma justa, cada dia, por causa das obras iníquas daqueles) [...] porque o Senhor sabe livrar da provação os piedosos e reservar, sob castigo, os injustos para o Dia de Juízo* (2Pedro 2:6-9 - grifo do autor).

Penso ser essa a razão pela qual o Senhor Jesus fala com o anjo da igreja de Éfeso sobre odiar aquilo que ele também odeia (Apocalipse 2:6). Não podemos apenas evitar o que nos foi proibido. Devemos entender o que é não se agradar daquilo que desagrada a nosso Senhor. Foi exatamente isso que Salomão, pelo Espírito de Deus, enfatizou quando falava sobre o temor do Senhor: *O temor do Senhor consiste em aborrecer o mal; a soberba, a arrogância, o mau caminho e a boca perversa, eu os aborreço* (Provérbios 8:13 - grifo do autor).

A FALTA DE PROFUNDIDADE

O segundo fator que contribui para o esfriamento do nosso amor pelo Senhor é a nossa falta de profundidade na vida cristã. Há muitas pessoas que vivem o seu relacionamento com Cristo de forma superficial.

Na parábola do semeador, Jesus falou sobre a semente que caiu em solo pedregoso. O resultado é uma planta que brota depressa, mas não desenvolve a profundidade. E a razão disso é apresentada quando Cristo explica que a raiz não consegue penetrar profundamente no solo que não tem muita terra, tornando-se assim superficial. O risco que essa planta corre, pelo fato de ter se desenvolvido apenas na superfície, é que, saindo o sol (figura do calor das provações), ela pode morrer rapidamente: *A que caiu sobre a pedra são os que, ouvindo a palavra, a recebem com alegria; estes não têm raiz, creem apenas por algum tempo e, na hora da provação, se desviam* (Lucas 8:13).

Um dos segredos de não nos afastarmos do Senhor nem perdermos a alegria inicial é o desenvolvimento da profundidade em nossa vida espiritual. Muitos cristãos vivem somente dos cultos semanais. Não investem tempo num relacionamento diário, não oram, não se enchem da Palavra, não procuram mortificar a sua carne para viver no Espírito, não desenvolvem relacionamentos edificantes e não se envolvem no trabalho do Pai. São cristãos sem profundidade, que vivem meramente na superfície.

A questão da profundidade nas coisas espirituais é tratada na Bíblia não somente quando se trata da nossa vida com Deus, mas também naqueles que servem a Satanás. Na carta à igreja de Tiatira, no Apocalipse, o Senhor Jesus elogiou os que não conheceram as *profundezas* de Satanás: *Mas eu vos digo a vós, e aos restantes que estão em Tiatira, a todos quantos não têm esta doutrina, e não conheceram, como dizem, as* PROFUNDEZAS *de Satanás, que outra carga vos não porei. Mas o que tendes retende-o até que eu venha* (Apocalipse 2:24,25, RC - grifo do autor).

O mesmo princípio da profundidade que se aplica à vida espiritual de quem se encontra no reino de Deus também se aplica a quem está no reino das trevas. Se quem vive no engano do reino das trevas chega a desenvolver uma profundidade nessa caminhada que leva à perdição, então nós, que conhecemos a verdade, não podemos nos relacionar com ela de um modo meramente superficial. Se desenvolvermos raízes profundas em Deus, não fracassaremos na fé!

A FALTA DE TRATAMENTO

O terceiro fator que contribui para o esfriamento do nosso amor pelo Senhor é a falta de tratamento em algumas áreas da nossa vida. Já vimos na parábola do semeador que um dos exemplos de como o potencial de frutificação da Palavra de Deus pode vir a ser abortado na vida de alguém é a falta de raiz, de profundidade. Mas há um outro exemplo que o Senhor Jesus nos deu nessa parábola – o da semente que caiu entre espinhos: *Outra caiu no meio dos espinhos; e estes, ao crescerem com ela, a sufocaram* (Lucas 8:7).

Os espinhos não pareciam ser tão comprometedores porque eram pequenos. E, justamente por não parecerem perigosos, não foram arrancados. Porém, eles cresceram depois e sufocaram a semente da Palavra, abortando assim o propósito divino de frutificação. *A que caiu entre espinhos são os que ouviram e, no decorrer dos dias, foram* SUFOCADOS *com os cuidados, riquezas e deleites da vida; os seus frutos não chegam a amadurecer* (Lucas 8:14 - grifo do autor).

As áreas que não são tratadas em nossa vida talvez não pareçam tão nocivas hoje, mas serão justamente as que poderão nos sufocar na fé e no amor ao Senhor posteriormente.

A queda espiritual nunca é um ato instantâneo ou imediato. É um processo que envolve repetidas negligências da nossa parte, e são essas mesmas "inocentes" negligências que nos vencerão depois. Por isso, devemos dar mais atenção às áreas que precisam ser trabalhadas em nossa vida!

AS DISTRAÇÕES

Como já tratei da questão das distrações anteriormente, no início do livro, não retornarei a esse assunto agora. Mas vale destacar que é uma das áreas em que precisamos de vigilância, pois pode comprometer nossa paixão por Jesus.

Esse é um caminho de proteção do nosso amor pelo Senhor. O nosso cuidado nessas quatro áreas é útil para prevenirmos e evitar a perda – ou depreciação – do nosso primeiro amor.

Contudo, enquanto enfatizamos, por um lado, a prevenção necessária para evitar a perda de nosso amor, não podemos ignorar, por outro lado, que há aqueles que já perderam o seu primeiro amor. Assim sendo, é preciso orientá-los acerca do que fazer com relação à perda já sofrida. E é justamente para essas pessoas que quero compartilhar o que tenho entendido, pelas Escrituras, ser o caminho de volta.

O CAMINHO DE VOLTA

O caminho de volta é o caminho da restauração. Foi o próprio Senhor Jesus quem propôs esse caminho: Lembra-te, pois, de onde caíste, arrepende-te e volta à prática das primeiras obras; e, se não, venho a ti e moverei do seu lugar o teu candeeiro, caso não te arrependas (Apocalipse 2:5). Cristo mencionou, no versículo acima, três passos práticos que devemos dar a fim de voltar ao primeiro amor:

1) Lembrança (lembra-te);
2) arrependimento (arrepende-te);
3) recomeço (volta à prática das primeiras obras).

LEMBRANÇA

O primeiro passo é um ato de recordação, de lembrança do tempo anterior à perda do primeiro amor. Não há melhor maneira de retomá-lo do que esta: relembrar os primeiros momentos da nossa fé, da nossa experiência com Deus.

O profeta Jeremias declarou: *Quero trazer à memória o que me pode dar esperança* (Lamentações 3:21).

Algumas lembranças têm o poder de produzir em nós um caminho de restauração. Muitas vezes, não nos damos conta do que temos perdido. Uma boa forma de dimensionar as nossas perdas é contrastar o que estamos vivendo hoje com o que já experimentamos anteriormente em Deus.

Recordo-me de uma ocasião em que fui visitar os meus pais e entrei no quarto que, quando solteiro, eu compartilhava com os meus irmãos. O simples fato de eu entrar naquele ambiente trouxe à minha memória inúmeras lembranças. Revivi em minha mente os momentos de oração e intimidade com Deus que eu havia passado lá. Recordei, emocionado, as horas que, diariamente, eu passava ali, trancado em oração!

Sem que ninguém me falasse nada, percebi que a minha vida de oração já não era como antes. Aquelas lembranças ocasionaram na época uma retomada da minha dedicação à oração, e, até mesmo hoje, ao recordar aqueles momentos da poderosa visitação de Deus que eu vivi naquele quarto, sinto-me motivado a resgatar o que deixei de lado.

Contudo, a lembrança em si daquilo que eu havia provado lá na casa dos meus pais não produziu mudança alguma. Ela simplesmente trouxe um misto de saudade, tristeza e arrependimento, pelo fato de eu ter deixado de lado algo tão importante. E esta é exatamente a segunda atitude que Jesus pediu aos irmãos de Éfeso: *Arrepende-te!*

Arrependimento

Não basta ter saudades de como as coisas eram anteriormente. É preciso que sintamos dor por termos perdido o nosso primeiro amor. Precisamos lamentar, chorar e clamar pelo perdão de Deus.

É imperativo reconhecer que a perda do primeiro amor é mais do que um desânimo ou qualquer outra crise emocional; é um pecado de falta de amor, de desinteresse para com Deus!

À semelhança dos profetas do Antigo Testamento, Tiago definiu como devemos nos posicionar em arrependimento diante do Senhor. Deve haver choro, lamento e humilhação:

> *Chegai-vos a Deus, e ele se chegará a vós outros. Purificai as mãos, pecadores; e vós que sois de ânimo dobre, limpai o coração. Afligi-vos, lamentai e chorai. Converta-se o vosso riso em pranto, e a vossa alegria, em tristeza. Humilhai-vos na presença do Senhor, e ele vos exaltará* (Tiago 4:8-10).

O fato de nos humilharmos perante o Senhor é o caminho para a exaltação (restauração) diante dele. Se reconhecermos que abandonamos o nosso primeiro amor, teremos que separar rapidamente um tempo para orar e chorar em arrependimento diante do Senhor e para buscarmos uma renovação.

Eu sei que recordar e chorar pelo passado também não é a cura em si, mas é um passo nessa direção! É um estágio de preparação, por assim dizer. Por isso, o conselho proposto pelo Senhor na carta à igreja de Éfeso ainda tem um *terceiro passo* prático: *Volta à prática das primeiras obras!* Portanto, não basta apenas reviver as lembranças e chorarmos. Temos de voltar a fazer o que abandonamos!

Recomeço

É necessário um recomeço, ou seja, retornar ao que fazíamos no início da caminhada de fé. Essas primeiras obras a que Cristo se refere não são o primeiro amor em si, mas estão atreladas a ele. Elas são uma forma de expressar e alimentar o nosso primeiro amor. Elas têm a ver com a como buscávamos o Senhor antes e também com a maneira como nós o servíamos.

Jesus não protestou porque os efésios não o amavam mais, e sim porque já não o amavam *como anteriormente!*

Precisamos mais do que o reconhecimento da nossa perda. Precisamos voltar a agir como no início da nossa caminhada com Cristo. É tempo de resgatar o nosso amor ao Senhor e dar-lhe nada menos que nosso *amor total!*

Separe um tempo para estar em oração e avaliação da sua vida e relacionamento com Cristo. Reflita e, se necessário, escreva as suas conclusões. E, se houver o menor sinal de deterioração em seu amor para com o Senhor, inicie imediatamente o caminho de volta.

AMOR INCORRUPTÍVEL

Embora haja um caminho de volta para quem perdeu o primeiro amor, não precisamos chegar a esse ponto. Podemos ser preventivos e evitar essa perda. Com isso em mente, encerro este capítulo final com a declaração do apóstolo Paulo no encerramento da sua epístola aos Efésios: *A graça seja com todos os que amam a nosso Senhor Jesus Cristo com* AMOR INCOR-RUPTÍVEL (Efésios 6:24, NVI - grifo do autor).

Encontramos no versículo anteriormente mencionado uma definição do tipo de amor que garante um livre fluir da graça do Senhor em nossa vida. O texto fala de graça aos que amam nosso Senhor; ou seja, não se trata da graça que qualquer um pode usufruir, senão daquela que é ativada por um comportamento específico: o *amor incorruptível* para com Cristo.

Algumas versões bíblicas empregam um termo diferente na tradução desse texto e usam a expressão *amor sincero* ou ainda *amor perene*. A Tradução Brasileira (TB), a Nova Versão Internacional (NVI) e a Versão Revisada de Almeida (VR) optaram pelo termo *incorruptível*.

O *Dicionário Vine* nos mostra que a palavra grega empregada nesse texto pelo apóstolo Paulo e que se encontra nos manuscritos originais é *aphtharsia*, que significa "incorrupção". Essa palavra é usada em relação ao corpo da ressurreição (1Coríntios 15:42,50,53,54) e traduz uma condição associada a glória, honra e vida! Às vezes, é traduzida por *imortalidade* (Romanos 2:7; 2Timóteo 1:10) e também pode dar a ideia de *sinceridade*, de acordo com essa linha de pensamento. Por outro lado, o léxico de Strong aponta alguns prováveis significados para ela: "1) incorrupção, perpetuidade, eternidade; 2) pureza, sinceridade".

De qualquer forma, o amor puro e sincero é o que não se corrompe, que traz em si a perpetuidade, que dura para sempre.

A afirmação de Paulo aos efésios faz com que reconheçamos que há pelo menos dois diferentes tipos de amor que os crentes podem manifestar ao Senhor ao longo do tempo: o amor incorruptível e o *amor corruptível*.

Portanto, quando falamos de amor ao Senhor, não basta apenas reconhecer que há pessoas que o amam e pessoas que não o amam (1Coríntios 16:22). Se assim fosse, a nossa única tarefa seria a de levar os que não amam o Senhor a amá-lo. No entanto, o nosso desafio é ainda maior!

Até mesmo dentre os que hoje professam amar o Senhor Jesus Cristo, há os que o amam com um amor incorruptível e os que têm permitido que o seu amor por ele se corrompa. Que possamos estar no grupo certo, entre os que amam com amor incorruptível e vivem em tamanha fascinação por Jesus *até que nada mais importe!*

Bibliografia

LIVROS CONSULTADOS E CITADOS:

Bevere, John. *Coração ardente: acendendo o amor por Deus.* Rio de Janeiro: LAN, 2016.
_____. *Extraordinário: o que você está destinado a viver.* Rio de Janeiro: LAN, 2014.
Bickle, Mike. *Crescendo na oração.* Orvalho.com, Curitiba, 2018.
Clemente. *Pais apostólicos.* São Paulo: Editora Mundo Cristão, 2017.
Engle, Lou. *O DNA do nazireu.* Orvalho.com, Curitiba, 2012.
Ferreira, Aurélio Buarque de Holanda. *Dicionário Aurélio.* Curitiba: Editora Positivo, 2010.
Ravenhill, Leonard. *Por que tarda o pleno avivamento?* Belo Horizonte: Editora Betânia, 2014.
Roberts, Dwayne. *Uma coisa.* Orvalho.com, Curitiba, 2011.
Ryrie, Charles C. *A Bíblia anotada.* São Paulo: Editora Mundo Cristão, 2006.
Sheets, Dutch. *Meu maior prazer.* Rio de Janeiro: LAN, 2014.
Subirá, Luciano. *De todo o coração: vivendo a plenitude do amor ao Senhor.* Orvalho.com, Curitiba, 2009.
_____. *O conhecimento revelado.* Orvalho.com, Curitiba, 2005.
_____. *O devocional diário.* Orvalho.com, Curitiba, 2006.
Tozer, A. W. *A vida crucificada: como viver uma experiência cristã mais profunda.* São Paulo: Editora Vida, 2013.
Varughese, Alex. *Descobrindo a Bíblia: história e fé das comunidades bíblicas.* Rio de Janeiro: Editora Central Gospel, 2012.
Vine, W. E., Unger, Merril F. e White Jr., William. *Dicionário VINE.* Rio de Janeiro: CPAD, 2002.
Wesley, John. *Explicação clara da perfeição cristã.* São Paulo: Imprensa Metodista, 1984.

NOTAS:

1. Sociedade Bíblica do Brasil. "Bíblia Sagrada: 1º lugar no *ranking* dos livros mais marcantes e lidos do país", matéria publicada no site da SBB, com data de 3 de junho de 2016.
2. BBC Brasil. Matéria intitulada "Caçadores de tesouros encontram 4,5 milhões de dólares em moedas de ouro em um galeão espanhol do século 18", extraída do site, datada de 20 de agosto de 2015.
3. As consultas de palavras em hebraico e grego foram feitas no aplicativo da *Olive Tree*, na versão Atualizada de Almeida com números de Strong.

Sua opinião é importante para nós.
Por gentileza, envie-nos seus comentários pelo e-mail:

editorial@hagnos.com.br

Visite nosso site:

www.hagnos.com.br